D1073466

PARLEZ-LEUR D'AMOUR...

Couverture
- Conception graphique:
  Katherine Sapon
- Photo:
  Maryse Raymond

Maquette intérieure
- Illustrations:
  TIBO

DISTRIBUTEURS EXCLUSIFS:

- Pour le Canada:
  AGENCE DE DISTRIBUTION POPULAIRE INC.*
  955, rue Amherst, Montréal H2L 3K4 (tél.: 514-523-1182)
  Télécopieur: (514) 521-4434
  * Filiale de Sogides Ltée

- Pour la France et l'Afrique:
  INTER FORUM
  13, rue de la Glacière, 75013 Paris (tél.: (1) 43-37-11-80)
  Télécopieur: 43-31-88-15

- Pour la Belgique, le Portugal et les pays de l'Est:
  S. A. VANDER
  Avenue des Volontaires, 321, 1150 Bruxelles
  (tél.: (32-2) 762.98.04)
  Télécopieur: (2) 762-06.62

- Pour la Suisse:
  TRANSAT S.A.
  Route des Jeunes, 19, C.P. 125, 1211 Genève 26
  (tél.: (42-22) 42.77.40)
  Fax: (22) 43.46.46

JOCELYNE ROBERT

PARLEZ-LEUR D'AMOUR...

LES ÉDITIONS DE
L'HOMME

Bibliothèque nationale du Québec
Dépôt légal — 4ᵉ trimestre 1989

ISBN 2-7619-0850-3

Les livres ne sont que des médiateurs;
aucun n'est assez bon pour être unique.

Françoise Dolto

Remerciements

À Véronique, dix-huit ans, qui m'a permis d'être une mère imparfaite.

À Paul-André, vingt ans, et à Catherine, dix-huit ans, qui m'ont dispensée d'être une «belle-mère» parfaite.

Ce sont les enfants de ma vie. C'est à travers eux que j'ai appris et compris un peu le rôle troublant d'être parent. Ils ont été les muses des livres que j'ai écrits pour les enfants et les adolescents. Ils m'ont insufflé la compréhension affective de la croissance sexuelle que nulle connaissance scientifique ne peut transmettre.

À Pierre et à Estelle pour leur paradis terrestre.

À Claude, pour tout.

À Marie-Agnès et à Norbert, mes parents,
qui continuent de colorer,
mieux que toute théorie,
ma perception des êtres humains.
Leur confiance m'a permis
d'être une enfant changeante
et une adolescente indomptable.
Ils m'ont légué un fier et unique héritage:
ma quête de respect et de dignité.

Préface

Ce que j'aime dans ce livre, c'est l'espoir. Pas un espoir insensé, mais un espoir presque raisonnable. L'espoir que la sexualité soit un jour un sujet qu'on aborde en toute confiance. Sans tabous.

Qui ne l'a pas pensé? Qui ne l'a pas dit? C'est difficile d'être un parent à notre époque. Nous avons le sentiment d'avoir tout essayé: la douceur, la compréhension, l'interdiction. Nous avons fait peur, nous avons pris les devants, nous avons attendu les questions. J'ai même entendu des parents dire qu'ils souhaitaient que leur enfant ne grandisse jamais, tellement l'avenir les inquiétait. Ils appréhendaient la première manifestation de sexualité de leur enfant. Comment s'en sortir?

Bien sûr, nous n'en sommes plus à l'époque où la mère éplorée devait TOUT expliquer à sa fille la veille du mariage... en lui recommandant surtout de ne pas s'attendre à grand-chose, de fermer les yeux et de patienter jusqu'à ce que le mauvais moment soit passé. Mais qui peut être sûr, absolument sûr que cela n'arrive plus jamais?

On pense que c'est impossible. La sexualité est partout. Au cinéma, dans les livres, à l'école, dans la vie quotidienne. Certains parents pensent qu'il appartient à l'école de faire l'éducation sexuelle des enfants. D'autres disent que l'éducation sexuelle doit se faire à la maison. Qu'en est-il? Je suis d'accord avec Jocelyne Robert quand elle dit que dans ces conditions-là, il est possible que l'éducation sexuelle ne se fasse nulle part. Chacun se renvoyant la balle.

Ce que Jocelyne Robert nous propose c'est un outil. Un outil pour la vie d'aujourd'hui. Un outil qui nous suggère d'intégrer la sexualité à la vie quotidienne, de percevoir la sexualité comme une des composantes d'un être normal et non pas comme un «mal nécessaire».

De la libération sexuelle provoquée par l'avènement de la pilule contraceptive à la menace que laissent planer les MTS, le SIDA, la prostitution juvénile, l'inceste, les agressions violentes, où allons-nous?

Dans une société où certains refusent encore de parler librement de l'utilisation du préservatif, ce livre de Jocelyne Robert est comme une bouée de sauvetage pour les parents. Elle nous y propose des mots pour le dire et des approches réalistes.

En cette fin du XXe siècle où les procès des religieux qui ont élevé des enfants se multiplient, où Jean-Guy Tremblay — qui avoue candidement avoir «brassé» sa compagne — devient un héros national pour certains individus et où le SIDA est considéré comme une urgence internationale, Jocelyne Robert redonne à la sexualité une sorte de nouveau souffle.

Ce livre est fait pour tous les parents. Pour ceux qui s'étonnent de l'érection du petit garçon dans sa couche comme pour ceux qui ont jeté la serviette devant une tâche qu'ils n'ont plus le courage d'assumer. Il n'est peut-être pas trop tard... c'est ça l'espoir.

LISE PAYETTE

Hudson, le 20 septembre 1989

Note au lecteur

Ce livre a de nombreuses voies d'accès. Vous pouvez, selon votre fantaisie, y entrer par la fin, par le milieu et même par le commencement.

Les cas relatés, les anecdotes et les extraits de lettres sont authentiques; seuls les noms ainsi que certains détails ont été changés par souci de discrétion.

Tout au long du texte, les caractéristiques énoncées en fonction de l'âge de l'enfant correspondent à des généralités et ne doivent jamais être considérées comme des absolus.

Peut-être vous êtes-vous demandé, en ouvrant ce livre, pourquoi on a donné un titre qui parle d'amour à un ouvrage traitant de la sexualité? Pour plusieurs raisons qui sont les suivantes:

• Parce que j'aborde le développement sexuel de l'enfant principalement sous l'angle de ses implications affectives et que l'amour est «une disposition favorable» de l'affectivité.

• Parce que l'amour renvoie à l'affection, à l'attachement, à l'inclination, à la tendresse, au plaisir, à la passion qui sont autant de sentiments et d'émotions liés à l'expression sexuelle, et que l'expression sexuelle traduit à son tour une quête d'affection, de reconnaissance de soi, d'amour...

• Parce que sexualité et amour (au sens large de l'affectivité) sont presque indissociables et pourtant différents, et qu'il importe de parler de l'une et de l'autre afin d'amener le jeune à distinguer ses besoins personnels véritables.

15

• Parce que l'amour est toujours la valeur privilégiée des jeunes en sexualité.

• Parce qu'en parlant d'amour et de sexualité, on clarifie chacune de ces notions et que l'on peut éviter des désillusions: l'ardeur érotique ne garantit pas l'amour, l'amour n'est pas le gage de la satisfaction érotique.

• Parce qu'il me paraît souhaitable de parler d'amour d'une manière réaliste, sans verser dans le côté «fleur bleue», et de parler de sexualité de façon réaliste sans la cantonner à de la «plomberie».

• Parce qu'il est urgent de montrer et de rappeler à nos jeunes que la sexualité peut aussi témoigner de l'amour, du partage, de l'affection, afin d'amortir les graves répercussions des abus, agressions, misères et maladies sexuels largement étalés autour d'eux.

• Enfin, parce que de toute façon l'amour est toujours là, présent et à peine dissimulé derrière mes propos, même quand le mot n'y est pas. Amour multiple, humain, sans grand A et incertain...

Je n'ai qu'une certitude: toute demande ou attente sexuelle est, d'une certaine façon, une demande d'amour.

Confidences de l'auteur

Ma vie est une ribambelle de faits cocasses, de détails loufoques et de hasards étonnants. À commencer par ma naissance...

Je suis la septième enfant d'une famille de sept et une demi-génération me sépare du frère auquel j'ai volé le titre de benjamin. Ma mère est devenue enceinte de moi à quarante ans, en pleine «période stérile» et... malgré le condom, m'a-t-elle raconté. Quand on me demande ce qui m'a amenée à la sexologie, je réponds que rien n'a pu m'y déterminer autant que ma naissance impromptue.

Je n'ai pas été désirée. Qu'importe puisque j'ai été aimée.

Rien n'est jamais parfait. N'est-ce pas son savoir-aimer qui a autorisé ma mère, lorsque je lui posais des questions, à me raconter, sans cachotteries et sans bavures, l'histoire de ma naissance? Aujourd'hui, j'adore épiloguer sur le désir et sur l'amour, nuancer les sentiments, les émotions, les engagements; j'ai le sentiment que j'aurai, jusqu'à cent ans, le goût d'être désirée et désirable. Allez donc savoir pourquoi...

Si les années d'études, de travail et de réflexion en sexologie ont contribué à façonner chez moi une compréhension personnelle des «choses de la vie», je dois dire que c'est d'abord la transparence de mon milieu familial qui m'a permis de me saisir, de m'accepter, d'être bien dans ma peau de fille, avec mes forces et mes faiblesses. De là à écrire un livre pour les parents sur la sexualité et l'éducation sexuelle et affective de leur progéniture, il n'y avait qu'un pas que j'ai mis quarante ans à franchir. Peut-être avais-je besoin que les enfants de

17

ma vie aient eux-mêmes fini de grandir (physiquement, cela va sans dire); peut-être avais-je besoin de prendre le temps de vivre à leurs côtés, de leur petite enfance jusqu'à leur majorité officielle, avant de balbutier sur le sujet.

Vous aurez compris au ton de ma dédicace, de mes remerciements et de ce préambule, que je m'adresse à vous en étant, tout d'une pièce, mère-parent-femme-éducatrice-sexologue.

Sans doute ai-je même lâché des morceaux de mon enfance et de mon adolescence dans les pages qui suivent. Vous aurez saisi aussi que je ne me perçois ni comme une technicienne, ni comme une théoricienne de la sexualité. Celle-ci est trop intrinsèquement liée à l'intimité pour qu'on l'extraie de l'ensemble de la personne. Dans cette optique, je ne puis davantage séparer mon propos professionnel de mes convictions personnelles. Cette approche est-elle une force ou une faiblesse? Probablement tantôt l'une, tantôt l'autre. J'ai renoncé à ce qu'il en soit autrement.

Ainsi donc, depuis de nombreuses années, l'intervention en éducation sexuelle auprès des enfants et des adolescents a constitué l'essentiel de l'exercice de ma profession. Cet engagement m'a amenée à travailler auprès d'enseignants, d'intervenants-jeunesse et d'éducateurs, et à rencontrer des milliers de parents, tant au Québec qu'à l'étranger. J'ai pu me rendre compte de la bonne volonté des parents à faire l'éducation sexuelle de leurs enfants, ainsi que de leurs difficultés, de leur peur aussi.

Combien de fois m'a-t-on dit:

> *Je veux bien mais je n'y arrive pas...*
> *Je ne trouve pas les mots.*
> *Je me sens si mal à l'aise.*
> *Il ne me parle pas de lui...*
> *Elle ne veut rien savoir de moi, de ça...*

Récemment, à l'occasion d'une ligne ouverte à la radio, une dame m'apostrophe gentiment:

Ça paraît si facile quand c'est vous qui en parlez, si limpide... Moi, quand j'en parle, c'est aussi clair que de la vase. De toute façon, les enfants ont des livres faits pour eux, les adolescents ont des cours à l'école, on dirait qu'on n'a plus rien à voir là-dedans, nous les parents.

Pour tout cela, parce que je crois aux parents comme premiers intervenants dans l'éducation sexuelle de leurs enfants, parce qu'ils demeurent les personnes les plus signifiantes auprès de leurs adolescents, parce que le réseau scolaire, dans la prise en charge de l'éducation sexuelle, les a négligés, j'ai eu envie d'écrire ce livre.

En sexualité, pas de recette; seulement des ingrédients. Le reste est affaire de créativité et d'humilité. Tout au plus partagerai-je avec vous des pistes susceptibles de vous seconder dans l'accompagnement de votre enfant. Des sentiers éprouvés puisque ce sont les enfants eux-mêmes qui m'y ont conduite. Les tout-petits m'ont dessiné des lettres; les enfants m'ont écrit; les adolescents se sont longuement laissé écouter. Et puis, pour tout vous dire, ils m'ont aussi parlé de vous, leurs parents. Je crois pouvoir vous livrer, sans les trahir, l'essentiel de leur message et de leurs attentes.

Ne vous étonnez pas si les questions relatives à l'anatomie et à la physiologie (la «plomberie», disent les ados) ne sont qu'effleurées. J'ai volontairement négligé ces aspects largement et confortablement traités à l'école et dans d'autres ouvrages.

Que vit l'enfant de cinq ans en jouant au docteur, par-delà le jeu génital?
Que ressent la fillette de onze ans, se pâmant pour ses idoles, devant l'image que lui renvoie son miroir?
Le garçon de treize ans est-il préoccupé par la physiologie de l'érection ou par la possibilité

d'être pris en flagrant délit d'érection
spontanée au beau milieu d'un cours de
français?
Facile de parler de contraception à son
adolescente et de MTS à son adolescent!
Plus ardu de partager l'angoisse, l'émoi,
l'étonnement, la peur et le plaisir liés à
l'apprentissage sexuel.

C'est cette lorgnette que je vous invite à ajuster. L'affectivité est la dimension la plus escamotée du devenir sexuel parce qu'elle trouble tous les adultes. Raison de plus pour s'y intéresser: elle est essentielle à l'intériorisation des valeurs que nous souhaitons transmettre à nos jeunes. Éducation sexuelle ne va pas sans éducation affective. Voilà un terrain fascinant qui ne comporte d'autre danger que celui de nous remuer un peu à l'intérieur.

Pas de grands objectifs ici. Seulement un vœu, non pieux je l'espère: contribuer à réduire la zone de silence entre les générations.

Au risque de passer pour une illuminée, en ces années de misère sexuelle, je mise sur l'espoir. L'espoir qui, tout compte fait, commence lorsque le désespoir est surmonté. L'espoir qui me dit que, loin de démissionner, vous prendrez la place respectueuse et respectable que les enfants sont prêts à vous accorder.

Ouverture

Si vivre sa sexualité en cette fin de XXe siècle n'est pas de tout repos, qu'en est-il de l'éducation sexuelle des enfants et des adolescents? Une mission à accomplir? Une source d'irritation pour les parents? Une surcharge de travail pour les enseignants? Une chasse gardée pour les intervenants des services sociaux? Le rôle de qui? Tout le monde en parle, tout le monde en fait. Tout le monde, c'est parfois personne!

C'est dans le noyau familial que s'implantent les fondations d'une sexualité saine ou... tordue.

Il y a quelques années, je menais avec des collègues une enquête auprès d'une centaine de jeunes du niveau secondaire. Nous leur demandions, entre autres, si la sexualité était un sujet discuté en famille. Résultat: environ 80 p. 100 ont répondu négativement. La même question posée aux parents des mêmes élèves atteignait à peu près le même pourcentage, mais positif! Qui mentait? Probablement ni les uns ni les autres.

Les réponses, apparemment contradictoires, témoignaient de façon éloquente d'une perception différente de ce qu'est la discussion sur la question sexuelle. Pour l'adolescent, recevoir une information factuelle sur les MTS ou sur la puberté n'équivaut pas à un dialogue sur la sexualité. Le parent, embarrassé par le sujet, peut avoir le sentiment du devoir accompli s'il en a parlé une fois ou deux.

Nous vivons dans une société qui prévient. On prévient le suicide, la maladie, les grossesses non désirées, les abus sexuels, le SIDA... Tout occupés que nous sommes à regarder vers l'avant, avons-nous perdu la possession de nous-mêmes au présent? Le rôle des parents est de travailler à enrichir la vie, d'aider à lui trouver un sens, de donner aux jeunes quelque chose à aimer, quelque chose qui les liera à la vie. Bien enraciné, l'intérêt à la vie survit, même dans l'enfer du désespoir, et il pousse à en sortir.

Les enfants et les adolescents ont, plus que jamais, besoin de leurs parents; besoin de modèles d'hommes et de femmes qui leur servent de phares, qui soient capables de partager ce qu'ils sont autant que ce qu'ils savent ou croient savoir. Émerveillement, partage et affectivité constituent les matériaux de base de cet art à inventer qu'est l'éducation sexuelle.

Trois grands sentiers parcourent le paysage sexuel où je vous invite. Le premier propose un honnête examen de conscience: démêler l'écheveau de l'éducation sexuelle reçue, réfléchir sur sa perception personnelle de la sexualité, identifier ses couleurs, ses limites, ses malaises... Le second parcourt une longue distance: celle du développement sexuel qui va de la naissance à l'âge adulte. Une attention particulière sera accordée au *comment* de l'intervention éducative. Enfin, le troisième présente une kyrielle de dossiers chauds et de situations particulières choisis pour l'inquiétude qu'ils provoquent ou parce que je les ai jugés importants dans une perspective de santé sexuelle.

Je devine votre pensée. *Dieu! que c'est compliqué la sexualité; c'est pourtant naturel!* Eh oui. La santé aussi c'est naturel et il arrive que cela se déglingue. Dès le départ, comprenons-nous bien. Je ne pense surtout pas qu'il faille parler davantage de sexualité. J'ai le sentiment qu'il est grandement temps d'en parler différemment. Cette approche que je défends sera-t-elle efficace? Réduira-t-elle les conséquences malheureuses des lendemains de la révolution sexuelle? Scientifiquement, je n'en sais rien et, de toute façon, l'essentiel n'est jamais mesurable. Disons que tout me porte à croire qu'elle est valable, humainement. La méthode de travail est simple: se laisser éclairer pour être éclairant, se laisser toucher pour rejoindre l'autre.

Une seule chose dont je suis certaine: **toute tentative d'éducation sexuelle sera vaine tant que nous ne mettrons pas nos pendules à l'heure de nos enfants.**

PREMIÈRE PARTIE

Adulte-parent et sexualité

Aucun homme ne peut rien vous révéler sinon ce qui repose déjà à demi endormi dans l'aube de votre connaissance.

Le maître qui marche à l'ombre du temple ne donne pas de sa sagesse mais plutôt de sa foi et de son amour. S'il est vraiment sage, il ne vous invite pas à entrer dans la maison de sa sagesse mais vous conduit plutôt au seuil de votre propre esprit.

Car la vision d'un homme ne prête pas ses ailes à un autre homme...

Gibran, K., extrait du *Prophète*, 1923, «Propos sur l'enseignement».

Chapitre premier

Il était une fois la sexualité

Dans le *Petit Robert,* première définition du mot sexualité: «(1838) caractère de ce qui est sexué, ensemble de caractères propres à chaque sexe. Voir génitalité.» Deuxième définition: «(1924) ensemble des comportements relatifs à l'instinct sexuel et à sa satisfaction (qu'ils soient ou non liés à la génitalité). Voir libido (...).»

C'est donc en 1838, alors que nos ancêtres se battaient à la fourche pour sauvegarder notre langue, nos droits et la survie de la nation, qu'est apparu le mot sexualité dans la langue française. Exemple flagrant du retard des mots sur les comportements et les réalités. Qu'il me soit permis de risquer une version «petite Robert» de ce vocable.

Ce qu'elle est, ce qu'elle n'est pas

La sexualité est une dimension fondamentale de l'être humain qui s'imbrique dans l'ensemble de la personne et la colore dans tout ce qu'elle est. Fondamentale, puisque présente comme caractère essentiel et déterminant dès la naissance (et même avant: on sait maintenant qu'au dernier trimestre de la vie intra-utérine, le fœtus a des réactions génitales). C'est

27

une composante, ni plus ni moins importante que les autres, d'un être humain, d'une existence, d'une société. Si la sexualité prend naissance dans le monde biologique, son expression, à travers l'histoire, la culture et l'art, varie à l'infini. Énergie vitale, elle se manifeste en nous et à travers nous tout au long de notre vie.

Connaissez-vous l'histoire de cette mère qui se désespérait du fait que son fils de deux ans était, selon elle, toujours en érection? N'en pouvant plus, elle décide d'aller consulter son vieux médecin de famille:

> *Ça n'a pas d'allure, docteur, il est toujours en érection! Pas moyen de lui faire sa toilette, de changer sa couche, de lui faire des câlins, sans que son pénis ne bondisse comme un petit diable. Ça n'est pas normal! Qu'est-ce que vous donneriez pour ça, vous, docteur?*

Le vieux médecin a écouté religieusement. Il réfléchit, sérieux. Puis, après un moment de lourd silence:

> *Moi, madame, pour cela je donnerais... heu... ma BMW, mon bateau à voiles et ma maison de campagne!*

Morale de cette naïve histoire de sexe: la sexualité commence avec la vie et finit avec la mort. Dans cette fiction, nous sommes en présence de trois personnes qui expriment leur sexualité à différents épisodes de leur vie: un bébé réagit sensuellement, génitalement et normalement à des contacts agréables, une femme décode les réactions de son bébé à partir de ses attitudes et valeurs personnelles, un homme vieillissant exprime une certaine nostalgie de ses performances passées...

La sexualité est comme un thème musical, avec des variations de l'expression et de l'interprétation qui, selon les circonstances, sont propres à chacun. Elle s'estompe, s'emballe,

28

trébuche, se tait et refait surface... Elle patauge, fuit, bondit fougueusement, emprunte des détours inattendus... Elle s'éteint irrémédiablement avec la fin du morceau, quand le musicien quitte la scène.

Globale, elle se compose de l'identité sexuelle, des rôles qu'on adopte, de l'expression de soi à travers la tendresse, l'amitié, l'amour, l'érotisme, la sensualité, le plaisir, l'orientation sexuelle, les stéréotypes culturels que l'on admet parce qu'ils font notre affaire ou que l'on condamne parce qu'ils ne la font pas. Le principal organe sexuel humain est le cerveau. Ce qui se passe entre les deux oreilles est sexuel au même titre que ce qui se passe entre la taille et les cuisses.

Notre réalité d'homme ou de femme se traduit jusque dans nos tendances, engagements et philosophies[1]. Renforcée par la culture, elle nous conditionne dans le choix de telle ou telle profession et imprègne notre manière de l'exercer. Ce n'est pas par hasard que le premier juge à s'émouvoir publiquement sur le sort des enfants soit *une* juge[2]. Féminité et masculinité sont des traits de nature et de culture. Tout n'est pas appris, tout n'est pas génétique, tout n'est pas environnemental, tout n'est pas hormonal. Il existe une spécificité féminine et une spécificité masculine; le reconnaître n'implique aucun jugement de valeur, aucune allégeance féministe ou antiféministe[3].

Enfin, au même titre que le bien-être physique, mental et émotionnel, la sexualité fait partie intégrante de la santé et de la qualité de vie. Elle est étroitement liée à l'intimité, à l'affectivité et au développement de la personne. La physiologie de l'acte sexuel est une chose (et sa compréhension «clinique» n'est pas négligeable), mais le sens que revêt, pour un homme ou pour une femme, le fait de séduire, d'être choisi et de faire l'amour est une autre chose, dépassant largement la gestuelle. Toute demande, qu'elle se situe sur le plan de la

---

1. Pensons à la philosophie alimentaire de Louise Lambert-Lagacé, *Le Défi alimentaire de la femme*, Éd. de l'Homme, 1988.
2. Ruffo, A., *Parce que je crois aux enfants*, Éd. de l'Homme, 1988.
3. Robert, J., *Le Féminisme, humanisme renouvelé*, 1985.

tendresse, de l'amitié ou de la reconnaissance personnelle, est une demande d'amour. Être accueilli physiquement ou ne pas l'être viendra fortifier ou saper l'estime de soi.

De surcroît et en tout premier lieu, la sexualité est une relation avec soi-même:

> *Que m'apporte cette relation?*
> *Ce comportement sexuel est-il bon pour moi?*
> *Que m'a laissé ce récent épisode gynécologique*
> *(accouchement, stérilisation, ménopause)?*
> *Comment je me sens dans ma peau d'homme de quarante ans?*
> *Pourquoi cette attitude sexuelle de mon fils, de ma fille me dérange-t-elle autant?*
> *Etc.*

On peut contourner la sexualité, la nier, l'écraser, la maudire ou la louanger. On peut en rire ou en pleurer. On ne la détruit pas. Quand on s'y essaye, on ne parvient qu'à abîmer la personne. La sexualité, elle, ressurgira, mutilée mais bien vivante.

La sexualité est mouvante, évolutive, changeante. Elle se dit et se dédit, s'éclate, s'attriste ou se réjouit, se ratatine; elle murmure, bavarde ou se mure. Elle enrichit ou elle appauvrit. En elle-même elle n'est ni bonne ni mauvaise: elle est, elle est là. Elle peut traduire l'amour comme la haine, l'acceptation comme le rejet, l'extrême tendresse comme la concrète violence[4]. Il appartient à chaque individu de faire de sa sexualité une source de mieux-être, de croissance et de satisfaction. Il appartient à chaque parent de témoigner de ce potentiel d'émerveillement ancré dans le respect, le partage, la dignité.

---

4. Dorais, M., *Les Lendemains de la révolution sexuelle*, Prétexte, 1986.

La sexualité d'hier à demain

Si le mot *sexualité* est apparu au XIXe siècle, le terme *sexuel* était en usage dès le XVIIIe pour désigner la différence génitale entre l'homme et la femme; par *sexe* on entendait *féminin*. Les personnes du *sexe*, c'étaient les femmes! On ne peut imputer l'absence du mot *sexualité* au manque de vocabulaire puisque, déjà au XVIe, la langue française ne possédait pas moins de trois cents vocables pour désigner l'acte sexuel, et quelque quatre cents pour nommer les parties génitales[5]. La *sexualité* n'existait pas mais l'imaginaire débordait d'envie de l'inventer...

À une époque pas si lointaine, on ne parlait pas de sexualité, on la vivait allègrement; nos bonnes vieilles familles québécoises, comptant les enfants à la douzaine, en faisaient foi. Elle fut longtemps considérée dans son unique fonction de reproduction de l'espèce. La percevant comme un obscur mystère, on dispensait une sorte d'éducation sexuelle implicite faite de silences, de sous-entendus, de mises en garde et de mensonges. Les enfants, tant bien que mal, potassaient pour débrouiller l'énigme. Reportons-nous à l'époque, il y a une cinquantaine d'années, peut-être moins, quelque part au Québec...

Louis, 10 ans:

> — *Ma mère est partie chercher un bébé chez les Indiens; elle ne sait même pas s'ils vont m'apporter un frère ou une sœur!*

Cécile, 9 ans:

> — *Chez les Indiens! Pourquoi va-t-elle aussi loin? Moi, ma mère, elle est juste allée dans le potager; mon frère avait poussé dans une feuille de chou pendant que j'étais chez ma grand-mère.*

Françoise, 9 ans:

> — *Moi, je sais la vérité! Ma grand-mère me l'a expliquée. C'est pas du tout ce que vous dites! C'est*

---

5. Van Ussel, J., *Histoire de la répression sexuelle*, Laffont, 1972.

une cigogne, un grand oiseau qui apporte les bébés.
Mais... Je ne comprends pas que le bébé ne se fasse
pas mal en tombant par terre...

Louis:

— Peut-être que la cigogne lâche le bébé chez les In-
diens qui l'attrapent...

Cécile:

— Voyons donc, les Indiens ne passent pas leur
temps à regarder au ciel pour surveiller les cigognes!
Moi, je pense qu'elles volent très bas puis qu'elles le
laissent tomber dans une feuille de chou.

Françoise:

— C'est bizarre, tout ça. Comment se fait-il qu'on ne
voie jamais de cigogne, ni de bébé dans un chou, ni
d'Indiens?
Je ne comprends pas!

Cécile et Louis:

— !?!?

Le message d'ordre sexuel reçu par les gens de ma génération n'était pas moins trouble: *la sexualité c'est merveilleux,*
n'en parlons surtout pas à nos enfants. Pourquoi taire la
beauté? Et double: *la sexualité, c'est sale, honteux, péché,*
yerk! Gardons cela pour la personne qu'on aimera vraiment.
Un beau cadeau!

Je me souviens d'une amie qui était pensionnaire chez les
religieuses. Lorsqu'elle était menstruée, elle devait se présenter au magasin du couvent et chuchoter à la sœur économe
qu'elle avait besoin d'«oreilles de lapin». C'était en 1960. Que
d'ambivalence, de paradoxes et de gribouillis dans ces images
que nous avons, hélas, englouties.

Vint ensuite ce qu'on a appelé la révolution sexuelle. On
déchira le voile épais qui enveloppait le fait sexuel. On ne parlait plus que de *sexe,* on faisait le *sexe,* métamorphosant le
fléau en panacée universelle. L'avènement de la contraception
par voie orale a permis aux femmes de «s'envoyer en l'air»

comme des crêpes, en même temps qu'elles balançaient leur soutien-gorge. C'était les années magiques du «peace and love», de «l'amour libre», des communes, des hallucinogènes et de l'ancrage du mouvement de libération des femmes. Mais la magie, tout le monde le sait, à moins d'une indicible crédulité, n'est que prestidigitation. Nous étions passés de la grande noirceur à l'illumination par le sexe.

Voici que le temps et les minois se rembrunissent. Le ciel se peuple d'ombres: MTS, SIDA, agressions sexuelles en pleine lumière, prostitution juvénile, inceste... Un clair-obscur. Qu'est-ce qui se passe? Nos lendemains seront-ils meilleurs? Est-ce si tragique? À moins d'être prophète, nul ne peut répondre à semblables questions. La conjoncture socio-sexuelle actuelle nous force indéniablement à définir de nouvelles valeurs, à rechercher un nouvel équilibre, à nous inventer des comportements neufs. Sans sous-estimer certaines des réalités actuelles, je suis d'avis qu'il convient de ne point plonger tête première dans l'affolement.

Prenons l'inceste. Pas une semaine ne s'écoule sans qu'on ne panique devant la quantité de cas signalés. *«Y en a-t-il autant? Tellement plus qu'autrefois? On dit que c'est la pointe de l'iceberg...»* Nous n'avons pas de statistiques valables sur le sujet. Cependant, pour avoir travaillé auprès de femmes victimes de violence conjugale, j'ai pu constater qu'un nombre faramineux de femmes de quarante, cinquante, soixante ans avaient été victimes d'inceste dans leur enfance. C'est trente, quarante, cinquante ans plus tard qu'elles en parlent pour la première fois, qu'elles osent se souvenir. Ceci laisse supposer que l'iceberg est ancestral; la rupture du silence serait l'élément nouveau qui permet d'en apercevoir la pointe.

Quant aux autres méfaits, avatars ou conséquences fâcheuses qui malmènent en ce moment la sexualité (abus, MTS, pornographie, exploitation, taux de grossesses accidentelles malgré l'accessibilité de la contraception, et en particulier le SIDA), il n'y a, à ce jour, qu'une solution, non miraculeuse mais certes porteuse d'espoir: information et éducation sexuelles **positives.**

Je crois aux enfants et aux adolescents. Je les juge sains et tout à fait capables de faire des choix responsables en rapport avec leur sexualité. Je doute, de plus en plus, que la chasse aux sorcières, le «faire-peur», puisse donner quelque résultat. Ont-ils tort de ne voir là que notre obsession à déverser sur eux nos propres angoisses? Prenons le condom. Je suis tentée de croire qu'en le présentant dans un contexte de plaisir, de jeu, de satisfaction, on susciterait le goût de la responsabilité sexuelle. Comment leur donner envie de choisir de «capoter» en se «capotant» si on ne leur parle que de maladies et de mort? Érotiser le condom serait érotiser aussi la responsabilité. Pourquoi pas? Est-il inimaginable qu'un père vante à son fils les bienfaits de ce préservatif? Qu'une mère en fasse autant?

Possible mais pas facile, direz-vous. Il y a un long chemin à parcourir avant d'atteindre à une telle limpidité d'approche. On peut y penser. Rappelons-nous que les normes d'aujourd'hui en matière de sexualité contrastent avec celles qui prévalaient hier. Quand j'étais adolescente (et je ne suis pas encore grand-mère), la fille de vingt ans qui avait eu un rapport sexuel «complet» avant le mariage se faisait invectiver: *«Tu es souillée et aucun homme ne voudra plus de toi!...»* Aujourd'hui, c'est devant la fille de vingt ans qui n'a pas encore «couché» qu'on fulmine: *«Ça ne va pas? Il est grand temps que tu te déniaises!»* Ce qui est déviant un jour peut se révéler la norme le lendemain.

L'urgence nous pousse vers de nouvelles façons d'intervenir. Et s'il s'agissait de l'inventer, cette norme, en collant aux besoins de nos enfants et de nos adolescents, en maintenant la communication sans nous sentir rejetés, en nous ouvrant à leurs valeurs? La

34

sexualité n'a jamais été naturellement intégrée à la vie. Elle n'a jamais été traitée de manière simple, sans complication ni affectation. Elle fut, à travers le temps, tributaire des plus grands hommages comme des pires offenses. **Devant nous s'ouvre peut-être un épisode historique sans précédent: on abordera la sexualité simplement, sans plus.**

Des notions à clarifier

Il vaut la peine pour chaque personne de passer au démêloir l'enchevêtrement des normes sociales et culturelles assimilées, l'éducation reçue, les conceptions de la sexualité héritées de mère en fille ou contestées de père en fils... Ces facteurs, en se juxtaposant et en s'amalgamant à la personnalité propre, ont engendré des valeurs individuelles, sexuelles et non sexuelles. Chez le parent, ces valeurs donnent le ton à la dynamique relationnelle établie avec l'enfant ou l'adolescent face à la sexualité.

Une valeur, c'est ce que l'on considère vrai, beau, bon et bien selon son jugement personnel, plus ou moins en accord avec la société dans laquelle on évolue. Notre échelle de valeurs nous les fait classer de la plus haute à la plus faible selon notre conscience et nous sert de référence dans nos jugements et conduites. Il est important qu'un parent clarifie sa conception de la sexualité et ses valeurs.

«La valeur est une représentation personnelle de ce qui est désirable. Les valeurs, sexuelles et non sexuelles, sont les clés d'interprétation qui orientent nos jugements humains[6].» Elles sont au cœur de la personnalité. On peut adhérer à des valeurs identiques à partir de motivations différentes. Le catholique engagé et l'humaniste fervent proposent comme valeur le respect de soi et d'autrui. Pour le premier, le respect est une exigence de sa foi et de son amour de Dieu alors que pour

---

6. Samson, J.-M., «Les Valeurs sexuelles des jeunes», in *Jeunesse et sexualité*, Iris, 1985.

l'humaniste c'est un impératif de son amour des êtres humains[7].

L'attitude est une disposition de l'esprit qui se traduit par la fermeture ou l'ouverture à certaines idées. Elle se manifeste lorsqu'on est appelé à juger d'une situation.

> *Jean a 25 ans et il compose avec un sévère handicap depuis son tout jeune âge. À la fin d'une entrevue avec lui, dans un centre hospitalier de soins prolongés, je lui dis en le remerciant: «Si tu as, à ton tour, quoi que ce soit à me demander, je suis à ta disposition...» Il me rétorque de but en blanc: «Oui, j'ai quelque chose à te demander. Je n'ai jamais vu les seins d'une femme. Je rêve d'en voir de vrais. Voudrais-tu s'il te plaît me montrer les tiens?...» (!!!)*

Voici une situation illustrant les aléas du métier! Mais voici surtout une circonstance où l'attitude est hardiment interpellée.

Attitudes possibles:
1) «Qu'est-ce que c'est que ces manières? T'es cinglé ou quoi!» (Jugement porté sur la personne.)
2) «Je voudrais bien mais je ne peux pas. Tu te rends compte, si le directeur arrivait!» (Question contournée.)
3) «C'est une blague? De toute façon, mes seins te décevraient, ils sont si petits...» (Question contournée, fermeture à la personne.)
4) «Ta demande me stupéfie un peu! Je ne te montrerai pas mes seins. Je ne le veux pas. C'est mon droit de refuser, c'était ton droit de me le demander.» (Question abordée de front; rejet de la demande sans rejet de la personne.)

---

7. Désaulniers, M.-P., «La Place des valeurs en éducation sexuelle», in *Apprentissage et socialisation*, CQEJ, 1988.

Au cas où vous seriez curieux de savoir, j'ai spontanément adopté la dernière possibilité. Évidemment, dans le vif du sujet, on ne fait pas l'analyse de l'éventail des attitudes possibles. On réagit spontanément, en fonction de ses valeurs. Toutefois, on peut apprendre à ne pas se fermer à une personne même quand on désapprouve ses actes; d'autant plus lorsque ceux-ci ne font que refléter une détresse humaine et sexuelle. Cela est prioritaire dans toute démarche éducative, à plus forte raison quand il s'agit de ses propres enfants.

Alors que l'attitude n'a pas de lien direct avec l'action entreprise, l'intérêt, pour sa part, y incite[8]. Si nous nous intéressons à quelque chose ou à quelqu'un, tout nous porte à rechercher cette personne ou à acquérir cette habileté. L'intérêt sexuel engendre le désir. La nature, la culture, la vie sociale créent des besoins, des nécessités qui gouvernent l'action. Certains d'entre eux, liés à la survie et à la réalisation de soi, sont fondamentaux. Ils sont ressentis comme un manque et déclenchent une motivation à l'action pour combler le vide et ramener l'équilibre.

Distinguer ces notions met en relief nos préjugés pour mieux les dépasser quand la situation familiale appelle le respect, la tolérance ou la neutralité. Enfin, il importe que nous soyons attentifs à nos besoins, intérêts et limites personnels. Ils sont à dissocier de ceux de nos enfants.

Les valeurs sexuelles de ce livre

Tout individu, toute société se réfère à des valeurs. Tout objet ou sujet véhicule des valeurs: le créateur par son art, l'enseignant par les tonalités de son approche pédagogique, le parent par les couleurs de son accompagnement. Les valeurs, choisies librement ou assimilées par réflexe, sont d'ordres moral, social, religieux, patriotique, esthétique, humaniste,

---

8. Ces données sont tirées d'un texte de France Gilbert, chargée de cours au département de sexologie de l'Université du Québec à Montréal.

37

etc. La sexualité peut, en elle-même, être considérée comme une valeur riche d'un potentiel d'épanouissement personnel; elle ne le garantit pas. Impossible de parler de sexualité sans parler de valeurs. Autant énoncer sans détour celles qui sont inestimables à mes yeux: **dignité, intégrité, responsabilité.**

La **dignité** englobe les concepts de **respect** et de **considération** que mérite chaque être humain.

L'**intégrité** renvoie à la **droiture**, à l'**authenticité**, à la **transparence** et à la notion de **consentement** véritable.

La **responsabilité** s'étend à la nécessité intellectuelle et morale de **s'assumer**, de remplir ses engagements, de se prendre en charge.

Ce sont des valeurs humanistes, à caractère universel. Peu limitatives, elles risquent moins de heurter les morales plus rigoureuses et ne sont pas d'emblée en contradiction avec elles. Ce choix de valeurs ne m'a pas été inspiré par le souci de plaire à tout le monde, ce que je n'espère plus depuis belle lurette. Du «privé» au «public», il s'est imposé à moi au fil des années et des expériences. Dans mon esprit, le concept de respect doit aller aussi loin qu'il le peut et doit inclure le respect des valeurs des autres personnes ou groupes. Néanmoins, à l'instar des êtres humains, les valeurs, si nobles soient-elles, ont aussi leurs frontières.

> *En 1984, j'étais approchée pour intervenir auprès d'hommes qui avaient commis des viols. Au moment de négocier l'entente contractuelle, j'ai des réticences plus ou moins conscientes, mais j'accepte: une expérience de travail nouvelle et... des honoraires alléchants, pourquoi pas? Ce boulot m'a démolie! Je n'arrivais pas à dissocier les gestes abusifs posés des personnes mêmes qui les avaient posés. Impuissante aussi à me dégager émotivement: leurs récits me donnaient envie de vomir et de devenir à mon tour «agresseur». J'ai dû reconnaître mon incapacité à aider ces hommes.*

La notion de «respect et de considération que mérite chaque être humain», qui m'est si chère, venait de connaître son «Waterloo».

En 1989, on m'invite à travailler auprès de jeunes garçons (de douze à dix-huit ans) qui ont abusé sexuellement d'enfants (de six mois à douze ans). Il va sans dire que tout comportement abusif m'horripile toujours. Je réfléchis; je n'ai pas de réticences «brouillons» comme cinq ans auparavant. Je crois, je ressens profondément que toute personne a droit au traitement. J'embarque et ça va. J'ai une approche sévère de leurs agirs sans les rejeter systématiquement...

Tout ça pour dire qu'on chemine. Je vous ferai grâce de toutes les autres limites que je n'aurai jamais le temps ou la capacité de dépasser. Nous sommes tous et toutes plus ou moins farcis de contradictions et de préjugés, tiraillés entre nos conceptions rationnelles et le langage de nos «tripes». En sexualité, plus peut-être que dans tout autre domaine, on ne peut passer outre à certaines confrontations. Que de vacarme intérieur parfois!

Je souscris à la pensée qu'il n'y ait dans la sexualité «ni essence, ni lois naturelles ni valeurs immuables mais des sujets pensants et agissants[9]». Autant la morale libertaire que la morale rigide sont à boycotter au profit d'une éthique personnelle et collective qui tienne compte du respect, de la responsabilité, du consentement.

Au cours d'une conférence que je prononçais au Nouveau-Brunswick auprès d'un groupe d'enseignants, un participant me demande ce qu'il peut dire à un parent qui soutient que mes livres[10] ne comportent pas de valeurs chrétiennes. Avant

9. Dorais, M., *op. cit.*
10. La collection *Ma sexualité* est au programme scolaire de cette province.

que je n'aie le temps de répondre, une dame dans la salle réplique qu'à sa connaissance, le message du Christ était un message de dignité et que mes volumes destinés aux enfants en sont imprégnés. Je n'avais rien à ajouter. Au lecteur qui souhaiterait entendre de ma bouche ou plutôt lire de ma plume l'aveu de mes allégeances, je confesserais: oui, les valeurs que je défends sont chrétiennes, oui, je suis chrétienne, au sens étymologique du terme. Qu'est-ce à dire? J'adhère sans réserve au message révolutionnaire qu'a apporté le Christ. Je souscris entièrement aux divines valeurs qu'il a défendues: liberté, dignité, amour des êtres humains... Je ne professe point la chrétienté orthodoxe, catholique ou protestante des Églises qui ont, à mon point de vue, jugulé la parole chrétienne initiale.

Et je reprends à mon compte les questions que posait Champagne-Gilbert à l'Église il y a déjà dix ans[11]:

> *Où est l'engagement de l'Église pour combattre les agressions sexuelles, l'inceste, pour venir en aide aux femmes battues par leur conjoint? Où est son engagement pour réduire l'indigne problème des enfants maltraités et abusés?*
>
> *Où est son engagement pour combattre la prostitution juvénile, l'utilisation des femmes et des enfants dans le matériel pornographique, pour contrecarrer le marché économique de l'exploitation sexuelle?*
>
> *Comment l'Église, dont la mission théologique et pastorale est de promouvoir la dignité humaine, peut-elle être si peu concrètement ouverte à l'éducation sexuelle dont le principal ferment est précisément d'élever à cette dignité?*

Quand l'Église se «commettra» dans ces dossiers, j'aviserai...

---

11. Champagne-Gilbert, M., *La famille et l'homme à libérer du pouvoir*, Leméac, 1980.

Pour poursuivre cette mise à nu, je vous confierai un fait amusant: je me prénomme aussi *Christiane,* et ce prénom signifie «chrétienne» ou «rendre chrétien» alors que *Jocelyne* veut dire «joyeuse» ou «qui répand la joie». Christiane-Jocelyne, chrétienne-joyeuse: assez évocateur comme juxtaposition et, quant à moi, sans antinomie aucune. Quand je pense à l'histoire de ma naissance, je commence à croire que nos prénoms nous sont prédestinés. Mes parents m'ont-ils appelée Christiane parce que mon arrivée sur la planète tenait presque du miracle pour eux? Et Jocelyne parce qu'il fallait que je «répande beaucoup de joie» pour faire accepter ma venue imprévue?

Décidément, ce thème des valeurs est emballant! Le voilà qui me fait faire des sauts jusqu'à de lointaines sources. Je vous avais prévenu que je serais «tout d'un bloc», même avec les écarts.

❖

Chapitre 2

❖

L'éducation sexuelle
à la maison

Pour diverses raisons, beaucoup de parents s'imaginent, à tort, avoir perdu toute influence sur leurs enfants.

Certains traînent une culpabilité résultant de crises qui se sont traduites par un divorce, une fuite en avant ou en arrière, un virage brusque, une concentration sur leur cheminement personnel... D'autres se sentent dépassés par des réalités (SIDA, abus, etc.) auxquelles ils sont confrontés en même temps que leurs enfants et qu'ils n'ont pas eu le temps de digérer. Et puis, il y a tous ces spécialistes du comportement qui mettent trop souvent l'accent sur l'incapacité des parents. Et les médias, l'État, le réseau scolaire qui prennent la relève...

Comment s'y retrouver? Comment réagir? En continuant, malgré et avec les erreurs; en occupant sa place. Surtout, ne pas démissionner. Les parents sont encore pour leurs enfants et adolescents les références les plus précieuses. La famille, élargie ou rétrécie, mono, bi, tri, ou quadraparentale est toujours pour les jeunes un refuge affectif dont ils ont un immense besoin.

Un art à inventer...

Une recherche[1] menée auprès des 15-17 ans en 1982 montrait qu'ils souhaitaient que leurs sources d'information sexuelle soient d'abord leurs parents. En 1985, une autre étude réalisée par le BCJ[2] mettait en lumière le fait que la principale préoccupation de l'adolescent était la communication avec ses parents. Les travaux de Goldman et Goldman[3] indiquent que la mère se classe toujours bonne première en Amérique du Nord comme source d'information auprès des jeunes (le père arrive malheureusement bon dernier). Mais, enquête après enquête, ayant observé plus de 8000 jeunes sur une période de douze ans, Sol Gordon[4] rapporte que moins de 15 p. 100 d'entre eux recevaient une éducation sexuelle significative de leurs parents. Selon Dolivet, conseillère familiale et conjugale en France, il s'agit d'un dialogue jamais facile:

> *Si les parents d'autrefois croyaient à la totale ingénuité de leurs enfants, ceux d'aujourd'hui ont tendance à fantasmer sur la vie sexuelle des adolescents*[5].

Aucune recherche n'a jamais démontré que l'éducation sexuelle à l'école pouvait amoindrir le rôle des parents ou éroder leur influence sur leurs enfants. Les jeunes interrogés par

---

1. Comité de la protection de la jeunesse, *La Sexualité: vécu et opinion d'un groupe de jeunes,* Québec, 1982.
2. Tessier, M., *Sexualité et prévention: d'abord l'affaire des jeunes,* publication du BCJ (Bureau de Consultation Jeunesse), 1985.
3. Goldman, R., et Goldman, J., *Sources of Sex Information for Australian, English, North American and Swedish Children* (cité par Louise Gaudreau), 1981.
4. Gordon, S., «What Kids Need to Know», in *Psychology Today* (cité par Louise Gaudreau), 1986.
5. Dolivet, G., «Les Parents et la sexualité des adolescents», in *Groupe familial* (cité par Louise Gaudreau), 1986.

Bozzi[6], disant avoir reçu une éducation sexuelle à l'école, n'avaient ni diminué ni accru le dialogue avec leurs parents. Par ailleurs, 31 p. 100 de ceux qui ne recevaient pas d'information sexuelle, ni à l'école ni à la maison, étaient déjà actifs sexuellement. En combinant les sources d'information scolaire et familiale, ce taux tombait à 16 p. 100. Il semble que l'école et les parents exercent une influence sur le comportement sexuel adolescent.

Il est impossible de ne pas communiquer. Le mutisme le plus total transmet en lui-même un message révélateur. La sexualité n'échappe pas à cette règle. C'est d'ailleurs ce genre d'éducation sexuelle tacite que nous avons tous plus ou moins reçu.

Comme modèles d'hommes, de femmes, en étant simplement ce que nous sommes, nous transmettons un message. Rendre explicite ce message est question de décision, d'invention créative. L'éducation sexuelle de l'enfant est un art à inventer parce que nous avons peu ou prou de références en ce domaine. Nous n'avons pas appris à parler de sexualité. Nous n'avons ni recette, ni modèle, et c'est heureux. Le vide, le manque aiguillonnent la créativité. Ingrédients et matériaux sont là.

L'éducation sexuelle de l'enfant passe par le créneau de l'adulte-parent et appelle l'examen de conscience:

- Qu'ai-je reçu comme éducation sexuelle?
- Comment aurais-je souhaité communiquer avec mes parents sur les questions sexuelles?
- Ce que j'ai reçu, est-ce que je veux le transmettre?
- Quels sont les sujets qui me mettent mal à l'aise?
- Etc.

Identifier ses limites personnelles est une condition de base pour tout intervenant en sexualité. Vouloir s'en affranchir

6. Bozzi, Vincent, «Adolescence: Sex Education and Experience», in *Psychology Today* (cité par Louise Gaudreau), 1986.

pour devenir un parfait parent est... parfaitement vain. Il s'agit au contraire de respecter ses limites propres sans limiter autrui, de reconnaître ses difficultés, et même de les exprimer sans souhaiter les faire partager.

Éduquer à la sexualité, c'est la dire tout uniment, avec naturel, clarté, simplicité. Avec fraîcheur, plaisir et étonnement dans un contexte de partage, de chaleur et de beau temps. Vous direz que je fais de la poésie! Peut-être, et pourquoi pas? L'école n'a pas prévu d'enseignants-poètes, la famille ne pourrait-elle pas s'octroyer ce joli mandat? Je pense que si, dans la mesure où la poésie serre de près la réalité. Les jeunes, j'en suis témoin, en ont ras le bol des approches factuelles, médicalisées, rigoureuses et sèches desquelles ils ne retiennent d'ailleurs à peu près rien.

Ils ont besoin d'entendre une mélodie qui ne détonne pas par rapport à leurs préoccupations véritables, qu'on leur dise ce qui les émerveille plutôt que ce qui nous tourmente, qu'on leur parle de ce qu'ils vivent plutôt que de ce qu'on souhaite qu'ils ne vivent pas, qu'on leur communique ce qu'ils sont en mesure et en désir de comprendre plutôt que ce qu'on désire qu'ils comprennent «au plus sacrant».

Il est de la plus haute importance d'inventer de nouvelles tonalités à notre discours si nous espérons rejoindre enfants et adolescents. L'éducation sexuelle à la maison doit tenir compte de la réalité tout en étant messagère de vie, d'espoir, d'amour.

... et à réinventer quotidiennement

Notre sexualité nous ressemble. Elle ressemble à nos journées, à nos humeurs, à nos vies.

J'ai côtoyé beaucoup d'enfants dans l'exercice de ma profession. J'ai vécu aussi entourée d'enfants. Assez pour me rendre compte qu'une «bonne» éducation sexuelle s'insère dans le quotidien. On a trop tendance, encore aujourd'hui, à extirper la sexualité de la vie, à en faire quelque chose à part.

Oui, mais mon enfant lui, ne pose jamais de questions; il ne nous parle de rien, et nous ne trouvons pas de situations propices pour aborder le sujet.

Ces occasions existent. Encore faut-il les voir et les saisir. Cela peut être une émission de télévision, la vue d'une femme enceinte, une manchette de journal, la visite de l'oncle Untel dont l'orientation sexuelle est différente, le passage d'un couple d'amoureux, l'annonce que vous fait votre fille de sept ans selon laquelle elle se marie avec Frédéric qui en a huit... et que sais-je encore.

La série télévisée *Lance et compte* a fait fureur ces dernières années. Que de contenus propices à l'amorce d'une conversation avec nos enfants! L'amour, la passion, la violence, l'abus, l'attirance, les stéréotypes, l'érotisme, la nudité, la grossesse, l'avortement, les idoles, la beauté physique et j'en passe, tout y était. Durant le passage sur les ondes de cette série, j'intervenais auprès d'enfants de douze et treize ans. Chacune de nos rencontres décollait grâce à un élément de contenu tiré de l'émission de la veille. Il fallait voir et entendre ces préadolescents. Ils étaient passionnés.

Dans la même veine, le populaire téléroman de madame Lise Payette, *Des Dames de cœur,* a aussi constitué un excellent prétexte à des discussions à caractère sexuel: Jean-Paul, Julie la passive, Diane et sa copine, François, l'homme rose pâle, la violence conjugale, l'infidélité, la vie de couple, la grossesse... Combien d'échanges fertiles avec mon beau-fils de vingt ans Jean-Paul a-t-il déclenchés! Que de défoulements d'agressivité Julie a-t-elle provoqués chez ma fille de dix-sept ans!

Le parent occupe une position de choix pour utiliser et récupérer les informations véhiculées par les médias. L'éducation sexuelle, pour être significative, doit rejoindre l'enfant dans sa vie de tous les jours et tenir compte de son milieu social ambiant. Pas nécessaire de prendre un rendez-vous officiel avec son fils ou sa fille pour parler de sexualité, comme cela se faisait dans notre temps. Vous vous souvenez de cette lourde atmosphère, le soir où votre mère ou votre père, taciturne et solennel, disait: «*Bon, bien, c'est ce soir que je dois te parler des choses de la vie*»!

«Les choses de la vie», on en parle au jour le jour. Inutile de se fabriquer un vocabulaire de circonstance ou un langage «bébéiste». La sexualité se dit avec des mots qui nous ressemblent et avec lesquels nous nous sentons bien. On ne nous y a pas habitués, c'est vrai. C'est un apprentissage qui peut se faire à tout âge, avec un tantinet d'efforts, une petite dose de bonne volonté et une larme d'humilité.

L'éducation à la sexualité que nous voulons donner sera efficace le jour où les enfants en seront autant marqués positivement que nous l'avons été négativement par celle, implicite, que nous avons reçue. Celle-ci, «fantomatiquement», était omniprésente, comme une grande toile d'araignée tissée à même nos vies: aucun mot pour nommer les choses du sexe, censure entre la taille et les cuisses, rareté des étreintes affectueuses, mains sur les couvertures au lit, toilette intime en maillot de bain, confession hebdomadaire des plus banales pensées sexuelles. On revient de loin.

Le jour où notre ouverture à la sexualité sera si réelle qu'elle coulera librement à travers ce que nous sommes dans notre quotidien familial, nous ne discuterons plus d'éducation sexuelle. Fini le débat école-famille sur l'épineuse question. Au diable les sexologues! Je serai au chômage et ravie d'y être. Je rêve de me recycler... à 50 ans.

Dans les médias

Les tenants de l'éducation sexuelle aspirent à démythifier la sexualité tandis que l'environnement social et culturel nous y contraint par toutes sortes d'excitations brutales. Il y a plusieurs façons d'être heureux sans être aussi sexuel (et idiot) que le suggère la propagande pour le sexe: vidéoclips, cinéma, chansons, revues et litanies publicitaires pour la bière, le vin, le parfum, les boissons gazeuses, les voitures, les voiliers, les bas-culottes, les bijoux, les voyages et même, en Europe, le yogourt et la nourriture pour chats...!

Il faut faire l'amour et bien le faire pour parvenir à ce quelque chose d'extraordinaire que promettent les discours des médias[7].

Dans la réalité, «l'extraordinaire» se fait attendre... L'intimité sexuelle, si beaux et si jeunes que soient les partenaires, apparaît extraordinairement banale à ceux qui la vivent à côté de la fantasmagorie annoncée. Elle ne témoigne pas de l'amour, ne garantit pas la satisfaction.

Un vaste pan du ciel médiatique continue de propager des erreurs sur les prouesses sexuelles et sur les concepts de «masculin» et de «féminin». Le héros classique se doit de *«sauter huit femmes»* (en une heure de visionnement). *«Les femmes cèdent après force manœuvres de séduction louvoyante et simulent des orgasmes pleins de hurlements[8].»*

L'homme normal, avec ses défaillances occasionnelles et ses pannes de désir, la femme réelle qui jouit dans le calme et le silence ou qui ne jouit pas sont rarement présentés comme modèles. Culte de l'orgasme (simultané il va sans dire) et de la mécanique génitale qui renforce l'idée que la virilité tient à l'érection-minute et que les «vraies» femmes s'enlèvent comme des forteresses.

Cette insidieuse «éducation sexuelle» commence dès que votre enfant est en âge d'actionner le bouton du téléviseur et de feuilleter un magazine.

À la fin de leurs études secondaires, les jeunes auront consommé 1 800 heures de télévision contre 1 200 heures d'enseignement reçues. La consomma-

---

7. Marcelli, D., «La pudeur nécessaire», in *Famille magazine,* octobre 1988.
8. Wells Hal, M., *Le droit de votre enfant à la sexualité,* Presses de la Renaissance, 1977.

tion de vidéoclips compte pour un bon nombre de ces heures passées devant le petit écran[9].

Certains jeunes consomment plus de dix heures de *stéréoclips*[10] par semaine.

Les filles qu'on y voit sont belles, prêtes à séduire et malicieuses ou bien elles sont laides, ennuyeuses et bonasses. La relation amoureuse y relève de l'absolu et du fantasme, et la sexualité, démesurément présente, y est associée à la violence et se déroule dans un univers pornographique.

L'éducation sexuelle, scolaire ou familiale, a besoin de se lever de bonne heure pour rivaliser avec ces messages emmagasinés par les jeunes, même à leur insu.

Outre ces attentes irréalistes créées par un affichage factice et surexposé de la sexualité, il y a tout le reste: les petites annonces suggérant la prostitution à domicile qui se multiplient dans les quotidiens, les studios de massage «spéciaux» et, la dernière perle[11], le cagibi érotique et «sans danger» où le client s'isole pour se masturber en regardant une danseuse se trémousser.

Les jeunes, plus malléables que les adultes, se font bombarder de messages contradictoires: des pudiques, des ludiques, des merdiques. Le pape qui dit non à tout ce qui est hors procréation et hors mariage; *l'amour qui se protège* — donc l'amour est risqué; la famille qui cherche sa voie en silence; le disque de l'éducation sexuelle scolaire coincé au sillon *MTS/contraception*; les troupes vindicatives du droit à la vie qui fustigent l'avortement et se taisent sur l'inceste, les viols et

---

9. Lamoureux, M.-C., «L'Attaque des «Macdo du décibel» in *Apprentissage et socialisation,* vol. 11, n° 1, 1988.
10. Titre d'un vidéoclip produit par Évaluation-médias et le Vidéographe inc. Évaluation-médias est un organisme national de femmes qui a pour but d'améliorer l'image des femmes et des jeunes filles dans les médias.
11. Letarte, G., éducateur-sexologue, «La Sexualité des enfants et des adolescents nous interpelle: comment y faire face?», conférence, XXVIe congrès du CQEJ, 1988.

abus qui assassinent les enfants à petit feu; les personnages notoires qui font la une comme abuseurs non moins notoires; le spectre du SIDA planant au-dessus de la béatitude sexuelle portée aux nues dans les *stéréoclips,* et... je m'arrête.

D'autre part, la presse officielle accentue le climat de panique en s'acharnant à titrer en caractères gras les expressions négatives à propos de la sexualité. Le quotidien *La Presse* du 25 mai 1989 titrait: *Le SIDA est la maladie que craignent le plus les jeunes,* article qui résumait les résultats d'un sondage sur les valeurs des jeunes[12], lequel n'avait rien à voir avec la sexualité. Quel lien entre cette manchette et le thème des valeurs? Le SIDA n'est-il pas la maladie la plus crainte par tout le monde? Pourquoi donner un frontispice à caractère sexuel et effrayant à un rapport d'enquête qui avait escamoté le chapitre des pratiques sexuelles, les questions s'y rattachant ayant été censurées par la Commission d'accès à l'information[13]?

Au printemps 1988, pour préparer une conférence traitant de l'image de la sexualité projetée par les médias écrits, je me suis «amusée» à recueillir toutes les informations journalistiques à connotation sexuelle ou sexologique qui me tombaient sous la main. En sept semaines, j'avais 97 coupures: 75 se regroupaient sous le chapeau des malheurs sexuels (MTS, SIDA, agressions, exploitation, etc.); une douzaine étaient neutres (découvertes médicales, éducation sexuelle, etc.); les 10 dernières portaient sur des critiques ou des présentations de documents ou de publications concernant la sexualité. Aucun article ne relatait une «nouvelle» positive.

Faut-il inventer «la» nouvelle en ce sens? Il y a encore des bonheurs liés à l'expression de la sexualité. On n'en parle jamais. L'histoire des choses et des gens heureux se raconte aussi. Je connais, dans mon entourage immédiat, au moins

---

12. Article signé par André Pratte et présentant certains résultats d'un sondage effectué par la firme Segma Lavalin pour *L'Actualité* de juin 1989.
13. *L'Actualité,* juin 1989.

cinquante personnes qui font tous les jours de l'*incitation à la décence.*

Quand un éducateur fera-t-il la manchette pour avoir été pris en *flagrant mérite de sollicitation à la dignité humaine et sexuelle*?

Quand verrons-nous les journalistes créer une épidémie de *BTS* (bonheur transmissible sexuellement) en rendant publics les nombreux cas de gens qui sont «contaminés»?

Quand la presse médicale fera-t-elle état des cas des personnes âgées qui ont retrouvé la santé et l'intérêt à la vie après avoir été frappées par la *STS-asl (*santé transmissible sexuellement — au sens large)?

Quand relatera-t-on la sixième grossesse désirée de madame X au même titre que l'avortement contesté de mademoiselle Y?

Et toutes ces belles situations de *consentements* sexuels ne pourraient-elles occuper une partie de l'espace accordé aux abus?

À force d'étaler la déviance ou l'exception comme si elle était la norme, ne s'expose-t-on pas à ce qu'elle soit perçue comme telle et, pire, qu'elle s'installe dans les comportements et attitudes? Me vient à l'esprit un article publié dans le *Globe and Mail* qui mentionnait que 80 p. 100 environ des quelques centaines de collégiens interrogés avaient dit que *le viol dans un couple était quelque chose d'acceptable*[14].

Que faire, en tant que parent, pour que ce vent ambiant ne pousse nos jeunes dans l'ornière de la difformité sexuelle? Leur interdire l'accès aux médias? Cela serait parfaitement irréaliste et exacerberait leur désir de s'en rapprocher. **Les suivre dans leur foulée, régler notre pas sur leur allure** et recourir au discours médiatique à bon escient; exposer nos propres sentiments et opinions, attirer leur attention sur les distorsions et les corriger. L'impact des médias sera atténué par une éducation familiale positive conjuguée aux efforts de

---

14. Sous toute réserve, citation de mémoire, *Globe and Mail,* printemps 1988.

l'école qui tente de son côté de sensibiliser les jeunes aux stéréotypes sexuels.

Une consolation. Selon une enquête[15] menée par le Conseil du statut de la femme auprès de 281 jeunes de douze à dix-sept ans de la région de Québec, même si les adolescents sont de grands «voyeurs» de clips, deux choses ne leur plaisent pas: la violence et le sexisme. Le projet *Clippez-vous*, du RDSCMM (Regroupement des départements de santé communautaire du Montréal métropolitain), a su, en 1987, mettre le showbusiness au service de la santé des jeunes en produisant des clips à partir de chansons populaires: The Box (*Without love*), Michel Rivard (*Libérez le trésor*). La sexualité mériterait certes pareil traitement. Une équipe de parents et d'adolescents créatifs pourrait mettre en chantier un projet de vidéoclip faisant la promotion de relations non sexistes et non violentes en amour et en sexualité...

Les campagnes de publicité du ministère de la Santé et des Services sociaux, les pressions des groupes pour que le sexisme soit éliminé des médias, les programmes d'éducation sexuelle et affective sont à encourager.

Quant à la presse officielle, si la lire vous met en «dépresse», écrivez-lui! Avec persévérance. Incurable optimiste, je suis certaine qu'on peut transporter des montagnes, pierre par pierre, en faisant la chaîne.

Un beau risque

Je voudrais rappeler, au terme de ce chapitre, que sexualité et éducation sexuelle ont ici un sens très large allant bien au-delà des dimensions génitale et reproductrice où on les confine trop souvent. Que la sexualité rejoint et englobe les aspects affectif, psychologique et culturel selon lesquels chacun se perçoit et agit comme garçon ou comme fille, comme homme ou comme femme; que l'éducation sexuelle est conçue

---

15. *La Presse,* 29 juin 1987.

comme un service d'accompagnement de l'enfant: affirmation de son identité sexuée et sexuelle, apprentissage de sa masculinité ou de sa féminité, démarche d'autonomie et de responsabilisation, capacité de relations avec autrui et quête des valeurs qui orienteront ses choix et comportements. Que la sexualité dépasse encore les définitions ébauchées jusqu'ici, en «embrassant l'agir sexuel mais aussi l'identité sexuelle chromosomique jusqu'au concept de soi chez l'homme ou la femme, se référant à tout ce qui est sexué chez l'être et dans la société; que l'éducation sexuelle s'apparente à la promotion de la santé et qu'à ce titre elle déborde largement le souci d'éviter les MTS, les grossesses accidentelles, les crimes et offenses ou les dysfonctions, sans toutefois exclure ses préoccupations[16]».

Je sais, pour l'avoir entendu de la bouche des parents des centaines de fois, que ceux-ci craignent que trop d'informations sur la sexualité n'incite les enfants aux expériences sexuelles précoces. Aucune recherche sérieuse n'a jamais établi de lien entre l'ignorance et l'entrée tardive dans la vie sexuelle active. Personne n'a jamais observé non plus l'existence de quelque relation que ce soit entre le «savoir» et le vécu sexuel précoce.

J'ai personnellement remarqué que les jeunes qui étaient les mieux informés et qui évoluaient dans un cercle familial ouvert au dialogue semblaient commencer leur vie sexuelle active plus tard et de manière plus responsable. Est-ce à dire qu'une saine éducation sexuelle permet de faire des choix mieux éclairés et amène le jeune à dire un vrai *oui* ou un vrai *non*? Ou que l'agir sexuel devient moins attrayant quand on n'a pas le plaisir de transgresser l'interdit familial?

La liberté sexuelle, c'est comme les pommes. Si vous déposez sur la table de votre salle à dîner un beau panier rempli de dix variétés des plus succulentes pommes, les enfants en

---

16. Gaudreau, L., *Information générale sur l'éducation sexuelle*, document d'accompagnement pour la formation d'intervenants, CQEJ, 1989.

mangeront modérément; il y a même de fortes possibilités qu'elles y restent. Mais si vous cachez une pomme mystérieuse, que vous ne voulez pas partager, je parie que vos enfants se l'arracheront en cachette!

L'archaïque paradigme du «fruit défendu» a franchi les siècles comme un marathonien invincible.

En contrepartie, j'ai trop souvent eu l'occasion d'aider des jeunes en détresse, venant de milieux mortellement silencieux en matière d'information et de dialogue sur la sexualité. L'un, victime d'inceste depuis sa toute petite enfance, devenu abuseur à douze ans et complètement désabusé à seize; une autre enceinte à quatorze ans, réclamant à grands cris un avortement un jour, et jurant le lendemain que l'enfant qu'elle aurait serait sa planche de salut!

Je ne multiplierai pas les exemples pathétiques; j'en ai un grand tiroir triste qui occuperait tout l'espace de ce plaidoyer. Je déteste jouer la carte des détracteurs de l'éducation sexuelle. Nonobstant ce fait et bien que le dossier «éducation sexuelle à l'école» doive être repris à l'intérieur des «dossiers chauds», j'aimerais ouvrir ici une parenthèse concernant les pourfendeurs de l'éducation sexuelle. Ceux-ci la conçoivent, la décrivent et la dénoncent comme une incitation à la génitalité, comme un endoctrinement conduisant à une morale hédoniste.

> *Je suis absolument opposé à toute initiation de ce genre en public pour des enfants en groupe. Notre erreur est la suivante et je l'estime grave! C'est d'en faire un enseignement intellectuel, cérébral, un chapitre d'histoire naturelle, alors que l'éducation sexuelle est d'abord d'ordre moral et une éducation aux sentiments (...) ce qui intéresse l'enfant c'est beaucoup plus ce qui se passe en lui et dans son corps au moment de l'adolescence (...); ce qui l'intéresse sont les désirs qu'il sent naître en lui, qui l'étonnent et qu'il ne comprend pas, qui le troublent et qui l'inquiètent. Et nous allons lui raconter des histoires d'accouplement et d'accouchement (...);*

nous faisons fausse route à ne lui parler que d'anatomie et de physiologie (...) L'amour chez l'homme ne se réduit pas au sexe (...) C'est absurde, faux et malhonnête[17]!

Ces propos condamnent une forme d'éducation à la sexualité que tous les professionnels compétents en éducation sexuelle dénoncent aussi. Se pourrait-il que la seule façon d'assurer l'éducation sexuelle ait été celle de gens qui avaient une vision faussée de la sexualité, restreinte à la dimension génitale? Il en existe d'autres que certains ne semblent pas connaître.

Pour faire une lecture de la sexualité aussi limitée à la mécanique génitale et à la recherche d'un plaisir immédiat, il faut que ce soit l'unique expérience d'éducation sexuelle qu'on ait, ou qu'on ne puisse s'empêcher de chausser ses testicules comme lunettes d'approche pour y aller voir!

L'éducation sexuelle, que son ancrage soit familial ou scolaire, doit inclure l'éducation à l'amour, à l'affectivité et au respect. Amour et respect de soi et d'autrui. Et c'est justement parce que la relève prise par l'école ne chemine pas toujours en ce sens que les parents ont intérêt à repenser l'éducation sexuelle et affective de leurs enfants. Il n'y a que des avantages à cette démarche:

- le plaisir et la satisfaction de faire confiance et de *se* faire confiance;
- la naissance d'un dialogue qui ne soit pas un *dialogue de sourds;*
- donner le *goût* de la responsabilité sexuelle;
- un plus grand *potentiel* de bonheur;
- *freiner l'escalade* de la sexualité-malheur que nous connaissons actuellement;
- devenir *actif* dans les changements que l'on souhaite.

---

17. Chentrier, T., *L'Éducation sexuelle en classe,* source non identifiée sur la copie de ce texte que m'a fait parvenir une enseignante de l'Est canadien, durant l'été 1989.

En d'autres termes, est-il possible d'aggraver la situation? Pourrions-nous avoir plus peur pour nos enfants demain que maintenant?

Entre vous et moi, y a-t-il un risque à s'engager avec honnêteté et souplesse dans l'éducation sexuelle de nos jeunes? Oui, un risque double: il ne sera plus possible de tout supporter, de tout digérer comme l'autruche; il ne sera plus possible de s'enfouir la tête dans le sable pour éviter le *péril*.

Un vrai beau risque!

Chapitre 3

❖

Le parent

On dit que les parents font les enfants. Il est tout aussi vrai que ce sont les enfants qui font les parents. N'est-ce pas l'enfant que j'ai eu qui a fait de moi une mère, un parent? Je me rappelle un homme qui supportait si mal l'idée d'appropriation des êtres humains que, au lieu de dire *«mon fils»*, il le présentait comme *«l'enfant qui m'a permis d'être père»*. En naissant, l'enfant crée le parent et il commence, dès lors, à le renvoyer à lui-même. À l'adolescence, ce jeu de miroir éveille dans le parent des sentiments confus et parfois contradictoires.

> *Ma fille, elle a toujours l'air d'avoir le temps. Elle bavarde des heures au téléphone, elle fait des ronds avec sa cigarette, elle traînasse, dort jusqu'à midi. Au fond, je l'envie de pouvoir prendre le temps de ne rien faire, rien produire. Ah!... m'arrêter comme ça pour le plaisir... Un rêve[1].*

Être parent, c'est l'histoire et la responsabilité d'une vie: pas question de retourner la marchandise. On fait de son

---

1. CNAJ (Centre national d'aide à la jeunesse), *Parent, adolescent une relation à inventer*, Éd. Prospective Jeunesse, Bruxelles, 1988.

mieux en avançant pas à pas. Être le meilleur est impossible; le mieux à espérer, c'est d'être un parent «pas pire».

Comment apprend-on à être parent? Comment étaient nos parents? Qu'attendons-nous de notre conjoint dans l'éducation sexuelle des enfants?

> *Nous ne savons pas quelle attitude adopter avec notre fils. Nous ne sommes pas d'accord l'un et l'autre sur ce qu'il faut faire avec lui. C'est devenu un sujet de discorde et de tension entre nous. Nous avons toujours eu des idées différentes. Ça devient plus aigu maintenant.*

Pourquoi ne pas prendre le temps de faire le bilan de vos acquis et de vos désirs en matière d'éducation à la sexualité?

• Qu'est-ce que j'ai reçu de mes parents comme message à propos de la sexualité?
• Qu'est-ce que je veux transmettre à mes enfants?

Prendre le temps de vous asseoir ensemble, de comparer vos acquis et désirs respectifs, de discuter la manière dont vous souhaitez intervenir. Comme vous, vos parents n'étaient pas parfaits. Ils vous ont raconté des choses pas toujours vraies qu'ils avaient sans doute eux-mêmes apprises de leurs propres parents. Comparez les contre-vérités que vous avez respectivement reçues de votre milieu familial. Des exemples de contre-vérités? La femme n'a pas de besoins sexuels, la masturbation fait pousser du poil dans les mains, etc.

Demandez-vous quelles informations, attitudes et valeurs vous désirez transmettre à vos enfants. À quoi êtes-vous prêt à renoncer? Comment y renoncerez-vous?

Vous avez le sentiment d'avoir été maladroit, indiscret ou indélicat, d'avoir porté un jugement sévère sur tel comportement de votre enfant, d'avoir réagi avec excès devant telle attitude de votre adolescent? Et puis après? Pas de superparent ici-bas. Le mieux à faire est de lui exposer les causes de votre réaction, comme vous vous l'expliquez à vous-même. Se confondre en excuses ne fait rien avancer; se laisser assaillir par le sentiment de culpabilité est stérile. Face à la haute performance exigée des parents ces dernières années, beaucoup se culpabilisent sans cesse, après un virage dans leur méthode éducative, ou à propos de tout et de rien. Cette attitude n'inspire aucun respect aux adolescents; pour eux, la culpabilité n'est pas un sentiment noble. Ce sont nos divisions intérieures, nos contradictions internes qui contrecarrent l'émergence d'une autorité clairvoyante et tolérante.

Un ancien enfant

Certaines images de notre petite enfance sont limpides, d'autres sont floues, la plupart sont complètement voilées. Ces dernières ont néanmoins laissé des traces.

Je ne vous apprends rien en vous disant que chaque être humain est la somme de ses expériences, que sommeillent en lui le petit diable ou l'adolescent modèle qu'il a été. Ils occupent notre jardin intérieur et sortent parfois prendre l'air, taquinant notre moi-adulte, agaçant notre moi-parent. Toute la théorie de l'analyse transactionnelle se fonde sur ce substrat[2].

Le père et la mère sont d'anciens enfants qui peuvent encore, à trente, quarante ou cinquante ans, livrer des morceaux de leur enfance et de leur adolescence de multiples façons...

---

2. La théorie de l'*analyse transactionnelle* a été mise au point originellement par Éric Berne; elle fut appliquée et développée par de nombreux pédagogues et thérapeutes.

Ce que vous avez été intéresse votre enfant. Je pense à ce genre de questions formulées d'une manière si charmante par un jeune enfant à son père de 35 ans:

> *Dans l'ancien temps, quand tu étais petit comme moi, avais-tu une blonde, toi?*
> *L'as-tu déjà embrassée?*
> *Voulais-tu la marier?*
> *Est-ce que c'était maman?*
> *Jouais-tu au hockey?*
> *Étais-tu fort comme moi?*
> *Etc.*

Les enfants sont touchés par les récits de notre enfance, de nos émotions, de nos aventures, de nos petites bêtises. Les adolescents ont besoin de connaître les membres qui composent la famille où ils ont leur place, ce qu'ils ont été, comment ils s'en sont tirés...

> *Comment ma mère a-t-elle traversé sa puberté?*
> *Était-ce difficile pour mon père à l'adolescence?*
> *Se sentait-il, se sentait-elle, comme moi?*
> *Que reprochaient-ils à leurs parents?...*

Pourquoi ne pas leur parler de tout cela? Même si les choses ne se sont pas très bien passées pour vous. Il n'est pas triste d'avoir eu une enfance ou une adolescence opposée au long fleuve tranquille, d'avoir eu des rapports familiaux qui ne baignaient pas dans l'huile. Bien au contraire, vous pouvez témoigner que, malgré les conflits, la vie a continué et continuera. Tout le monde, adultes comme jeunes, adore les histoires vraies (ou à peine romancées...). Il suffit de voir l'attrait exercé par les films ou publications qui affichent «tiré d'un fait réel». Partager son passé sans, bien sûr, livrer ce que nous jugeons ne pas devoir dévoiler. Se souvenir qu'on a été soi-même adolescent permet d'être plus compréhensif et de mieux se concerter entre parents.

Vous souvenez-vous de ces nuits où vous rentriez à 3 h du matin? que votre père était furieux alors que votre mère était d'accord? Vous pouviez louvoyer entre eux et profiter de l'incohérence de l'un et de la faiblesse de l'autre.

Se souvenir, se parler, s'accorder entre conjoints. Si le parent ne doit pas exercer un pouvoir abusif sur le jeune, il ne peut, à l'inverse, en subir l'ascendant. Cela vaut tout autant dans un contexte familial où le conjoint n'est pas le parent naturel de l'enfant.

Un être sexuel et affectif

Derrière un parent, il y a un homme, une femme. Avec son âge, son passé, sa famille, ses idées, ses désirs, ses frustrations; marié ou non, seul ou en couple, travaillant à l'extérieur ou à la maison, satisfait ou non de son travail, de son projet de couple, de sa vie sexuelle.
S'accepter comme homme ou comme femme, accepter son sexe, c'est composer avec les différences et les ressemblances de la *rencontre,* c'est s'ouvrir aux divergences et aux similitudes avec les êtres qui ont fait de soi un parent. La personnalité de l'homme ou de la femme, la qualité relationnelle établie avec le conjoint marqueront plus les enfants que tout ce qui sera dit ou non dit. Comme par osmose s'inscriront en l'enfant les caractères féminin et masculin, la figure d'un couple, l'affectivité, l'amour.
Pourtant, il y a chez l'enfant une négation de la sexualité des parents. Serait-elle engendrée par le refus des parents de la sexualité du jeune? Au cours d'entrevues menées avec des

adolescents pour situer leur perception des parents, je leur demandais: «Est-ce que vos parents font l'amour?» Chaque fois, cette question me valait d'être toisée d'un œil mi-figue mi-raisin, avec un certain ahurissement, comme si j'étais une parfaite imbécile. Parce que cela va de soi, croyez-vous? Désolée de vous décevoir:

> *Bien... J'sais pas trop. Ça ne doit pas, ils sont pas mal vieux, ils ont passé la quarantaine... (Et vlan dans les gencives!)*

En 1986, on posait la question suivante[3] à un groupe d'adolescents de quatorze à dix-sept ans:
«Aurez-vous encore le goût de faire l'amour à trente ans, à cinquante ans?»
Réponse spontanée: *«Non ou beaucoup moins.»* À trente ans, le désir serait *altéré*; à cinquante ans, il serait *presque absent.* (!)
En réalité, il n'y a pas lieu de s'étonner. N'avons-nous pas, nous-mêmes, une certaine résistance à reconnaître que nos parents de soixante ou soixante-dix ans ont toujours des besoins affectifs et sexuels? Comme si l'étiquette *Parent* asexuait et désexualisait l'individu. Et puis, il y a le message socio-culturel, omniprésent, qui renvoie la sempiternelle image d'une sexualité réservée à la jeunesse, belle, en bonne santé, bronzée, riche et sportive...
Par ailleurs, les parents sont bien cachottiers sur cet aspect de leur vie. Je ne favorise pas le dialogue complaisant et exhibitionniste sur leur intimité sexuelle, de laquelle d'ailleurs l'enfant s'exclut lui-même. Toutefois, j'estime que les enfants dont les parents s'embrassent, s'enlacent et se touchent affectueusement reçoivent des «vibrations» chaleureuses. Ils emmagasinent des images de douceur et de tendresse physique qu'ils reproduiront.

---

3. Colloque Jeunesse et Sexualité tenu à Montréal en novembre 1985, in *Jeunesse et Sexualité, op. cit.*, p. 613.

Le tout-petit, devant l'affection manifeste de sa mère pour son conjoint, peut exprimer une certaine jalousie. C'est bien qu'il l'exprime, et mieux encore si on lui explique:

Je t'aime beaucoup mais tu ne me suffis pas.

Cela vous paraît dur? Le message est clair, précis et ouvert sur la vie. L'enfant se retrouve devant une vérité qui le charme car il traduit:

Tiens! Quand on est grand on désire autre chose que quand on est petit. Ma mère se dérobe à moi pour quelque chose qui lui fait plus plaisir... Devenons grand: ça vaut le coup[4]!

En règle générale, les parents ne se gênent pas pour dire à leur progéniture qu'ils ont besoin d'être seuls pour toutes sortes de raisons. *J'aimerais être tranquille pour terminer cette lecture; je souhaite bavarder seule avec mon amie...* Pourquoi ne pas adopter la même attitude pour vos moments d'intimité? Un parent peut dire: *Nous voulons faire l'amour en paix* ou *nous voulons nous reposer* si cette dernière formulation passe mieux entre votre pharynx et votre trachée. L'enfant comprendra.

Le fait que les parents soient des êtres sexués et sexuels entraîne à l'occasion des situations angoissantes. Il peut arriver qu'un parent réagisse sexuellement devant son enfant. À maintes reprises, des mères et des pères m'ont exprimé leur désarroi face à semblable manifestation. Qu'en est-il?

Prenons l'allaitement. Toute stimulation du sein, en particulier du mamelon, quelle qu'en soit l'origine, de la chaleur du soleil à la caresse de l'amant, peut déclencher une excitation sexuelle. Certaines femmes qui allaitent disent ressentir une excitation pelvienne ou une lubrification vaginale; d'autres

---

4. Dolto, F., «Information et éducation sexuelle», in *Parents et maîtres*, 1973, citée dans *L'Échec scolaire*, Éd. Ergo Press, Paris, 1989, p. 109.

éprouveraient une sorte d'orgasme. Beaucoup sont convaincues d'avoir commis une atrocité.

Aucun ordinateur interne ne supervise nos réactions physiologiques. Une réaction sexuelle involontaire n'est en soi ni saine, ni malsaine. C'est ce que nous pouvons en faire qui peut devenir pernicieux (voir chapitre 9 sur l'inceste). La frontière à ne pas franchir se situe entre la réaction spontanée et le comportement de séduction parent-enfant qui, lui, est contrôlable.

Si vous faites partie de cette moitié des êtres humains dont la vie sexuelle et affective est épanouie, bravo pour vous et pour vos enfants. Par contre, si vous êtes du côté des 50 à 70 p. 100[5] des adultes dont la vie sexuelle est malheureuse, il faut s'interroger sur la façon dont vous avez appris la sexualité et veiller à ce que l'histoire ne se répète pas. Quant aux situations embarrassantes, rendons-nous à l'évidence que la nature ne nous a pas façonnés pour ne réagir sexuellement que devant des étrangers, de notre âge, de l'autre sexe, etc. Par bonheur, l'être humain n'est pas captif de la nature. Il se distingue des autres espèces par son jugement, sa conscience, son libre arbitre et sa morale.

Un accompagnateur plutôt qu'un censeur

La jeunesse a besoin d'être accompagnée. Dans le mot accompagner il y a un mouvement, l'idée de *se joindre à* pour avancer *avec*. Je chéris ce terme d'*accompagnateur* d'enfants dont le sens est moins statique que celui des termes *enseignant* ou *éducateur,* et plus proche des principes de l'éducation sexuelle. Il y a derrière ce mot une musicalité (on accompagne au violon...), un pressentiment de partage (qui m'accompagne au bal?...), un plaisir anticipé (la crème accompagne les fraises à merveille...).

---

5. *La Presse*, 14 juin 1986, cité in *L'Alliance*, vol. 24, n° 4, 1987, par Jocelyn Ann Campbell.

Être accompagnateur c'est aussi être un guide qui montre des chemins, qui met en garde contre des embûches et qui accepte que l'accompagné s'engage dans le sentier de son choix en toute connaissance de cause. C'est aussi parfois se faire cicérone et expliquer et ré-expliquer...

Accompagner c'est savoir écouter avant de prendre position. Cela ne veut pas dire tout permettre ou tout tolérer. Un trop grand laxisme sera perçu par l'adolescent comme un manque d'intérêt ou, pire, comme une démission de la part du parent.

Une fois que vous leur aurez dit ce que vous craignez pour eux (la souffrance, les chagrins d'amour, la maladie ou une grossesse involontaire...), que vous aurez reconnu qu'il n'y a pas d'âge pour l'amour, puisque l'amour est une quête permanente sans assurance totale pour l'avenir, **faites-leur confiance**.

Accompagner, c'est reconnaître que le bonheur de son enfant puisse suivre un autre modèle que celui que l'on porte en soi, sans renier ses propres valeurs. Cela ne veut pas dire être le compagnon fidèle ou l'ami indéfectible. Le dialogue amical, d'égal à égal et possible en certaines circonstances devient un leurre à d'autres moments: le jeune attend de ses parents des réponses de parents et compte sur leur disponibilité lorsqu'il en a besoin.

Bien que les notions de liberté et de consentement se cachent derrière le concept d'accompagnement, nous sommes désarmés devant la soif de vivre de nos adolescents. La liberté ne peut être mauvaise en soi. Certes, elle peut s'avérer plus difficile à vivre qu'un ensemble de règles rigides, mais aussi combien plus féconde! Féconde et gênante aussi pour le parent qu'elle met en face de sa propre liberté ou... de sa captivité. N'avons-nous pas un peu peur de notre propre liberté? Celle de nos enfants nous embêterait moins et nous serions en mesure de les y préparer si nous domestiquions nos craintes personnelles.

Je voudrais enfin attirer l'attention du lecteur sur l'importance des substituts parentaux. Je ne parle pas des gardiens et gardiennes occasionnels mais de ceux et celles qui sont présents quotidiennement auprès des enfants. Je pense notamment aux garderies où les figures masculines sont presque absentes. La présence et l'engagement des hommes dans les milieux préscolaires devraient nous préoccuper au même titre que la discrimination à l'endroit des femmes sur le marché du travail. L'emploi d'éducateur en garderie intéresse peu les hommes parce qu'il est sous-payé; j'encourage les parents à exercer des pressions pour que soit valorisé ce travail qui, à mon sens, devrait être l'un des mieux rémunérés et des plus valorisés de notre société. À l'âge où le garçon et la fille se construisent à partir des modèles masculins et féminins, ils sont trop nombreux à ne connaître que le papa-gâteau du dimanche.

S'engager différemment plutôt que davantage

Une redite: l'heure n'est plus à la quantité d'informations sexuelles à donner aux enfants; elle est à la qualité de notre attitude éducative. Comme un pagayeur, le parent s'arc-boute sur la perche souple de la confiance et de la transparence.

Chaque parent a ses limites qu'il énonce le plus clairement possible. Des limites, arbitraires puisque subjectives, et renégociables au fil du temps. L'arbitraire évoluera d'autant plus qu'il s'exprimera.

> *Besoin pour le parent de protéger sa propre liberté, son espace vital, ses valeurs... sa réputation.*
> *Ou, à l'inverse, désir de vivre à travers son enfant ce qu'on n'a pas vécu soi-même[7].*

Notre vraie personne, avec ses aspects attachants et ses versants moins sympathiques, ses désirs enfouis, ses désillusions, ses faiblesses, nos enfants la connaissent-ils? Se

---

7. CNAJ, *op. cit.*, p. 40.

peut-il que nous osions rarement nous présenter à eux tels que nous sommes parce que nous ne cessons pas de nous critiquer, de nous juger nous-mêmes?

Osons la confiance puisque la non-confiance est un risque plus grand encore et que tout choix comporte un risque.

> *C'est quoi la confiance?*
> *Quand je doute, qu'est-ce que je fais?*
> *Je ferme les yeux ou je vais aux sources?*
> *Comment restaurer la confiance envolée?...*

La confiance est la condition *sine qua non* du développement harmonieux de l'enfant. Elle est aussi l'apprentissage d'un mouvement continu pour l'adulte. Faire confiance, c'est renoncer parfois à une certaine partie de ses exigences pour gagner en vie commune et en partage. Faire confiance à l'aptitude du jeune à apprendre et à grandir, c'est lui permettre de fixer ses propres limites; il les respectera puisqu'elles viennent de lui, dans le domaine de la sexualité comme dans les autres sphères de sa vie. Pas de feu rouge sans feu vert.

Le parent a reçu tel type d'éducation sexuelle. Il a ses principes et ses opinions sur le sujet. Et il y a toutes ces autres idées qui circulent. Il regarde aller son enfant et ne peut éviter le regard des autres, leurs critiques. Il le voit grandir, devenir adolescent au sein d'une société qui tient des discours multiples et inégaux sur la jeunesse et sur la sexualité, qui propose des modèles. L'air du temps charrie des idées...

Au-delà d'une attitude sexuelle saine, ce que vous pouvez lui transmettre de plus précieux, c'est cette connaissance qu'il existe une pluralité de mondes. L'un de ces mondes est celui du privé. Point n'est besoin d'être double ou multiple pour circuler dans les autres mondes: il s'agit d'y être soi-même tout en respectant les règles et principes d'autrui.

Très tôt, l'enfant saisira les différences entre les familles. Il saura, dès quatre ou cinq ans, que les mots les plus justes gênent certaines personnes et ne les utilisera pas devant elles (ou au contraire les hurlera, momentanément, pour provoquer). Il aura néanmoins besoin d'être aidé dans sa compréhension de cette diversité.

À six ou huit ans, si vos enfants se baignent nus dans la piscine familiale, ils doivent être avertis qu'ils ne peuvent en faire autant chez X ou Y si cela doit choquer leur bienséance, que ni l'un ni l'autre des comportements n'est répréhensible, qu'il existe dans la vie des convenances sociales diverses à respecter.

S'engager différemment auprès de ses rejetons, avec confiance, transparence et cohérence, face à ce qui est extérieur à la famille. Avoir l'oreille en forme de cœur.

Le savoir-être vaut mieux que le savoir

Le **savoir** est «un ensemble de connaissances acquises par une activité mentale».

Le **savoir-faire** est une «habileté dans l'exercice d'une activité...».

Le **savoir-vivre** se réfère aux «règles de la politesse et à l'éducation».

Le **savoir-être** n'existe pas encore dans le *Petit Robert*. Souvent, les mots et locutions apparaissent dans les dictionnaires longtemps après les réalités.

Pensons au mot *sexisme*, signalé vers 1965 cependant que les faits et gestes qu'il désigne foisonnaient depuis des millénaires. Le savoir-être est à inventer. *A fortiori* en sexualité et en éducation sexuelle.

L'enfant ou l'adolescent a besoin de rencontrer en ses parents **deux** personnes qui s'écoutent l'une l'autre malgré leurs différences, qui l'écoutent lui ou elle malgré les années qui les séparent. L'éducation sexuelle est une question complexe de respect et de confiance, en soi et en l'enfant. Elle met en scène une mère différente, un père différent, des enfants différents et des manières différentes de sentir la vie et de vivre ensemble. Elle interpelle la manière d'être et le savoir. Savoir *être* soi-même et savoir *être avec.*

Comme je suis malhabile à jongler avec les mots officiels, il m'est difficile d'en mettre sur l'idée que je me suis faite du savoir-être en éducation sexuelle familiale. En guise de transition entre cette première partie et la suivante, où nous nous efforcerons de préciser ce que nous avons vu à travers le cheminement chronologique de l'enfant, je me hasarderai à l'illustrer par une parabole. J'adore les histoires...

Parabole du
parent-jardinier

Le parent attendu est comme jardinier.
Il a son jardin privé qu'il est seul à cultiver.
Il y sème des graines qui se disperseront, vivaces,
dans le terroir voisin, propriété de l'enfant.
Les graines y germeront doucement, sous les
auspices de son jeune propriétaire,
apprenti jardinier.

Le jardinier n'est pas pressé.
Il n'est pas, non plus, imbu de son savoir.
Il ne passe pas son temps à dire à l'apprenti
jardinier:
«quand tu auras mon âge... quand tu auras mon
expérience...»
Ce qui dégoûterait l'arpète de jamais devenir
jardinier, le découragerait de soigner son jardin en le
désherbant et le bien traitant...

Le jardinier sait que ses semailles posées
dans un autre sol peuvent engendrer
des espèces nouvelles.
Et il se réjouira autant d'une floraison aux couleurs
dissemblables que d'une éclosion de fleurs similaires
aux siennes.
Le jardinier sait qu'il ne sait pas.

Et le parent-jardinier est tour à tour parole ou silence, sachant qu'il est des domaines qui lui sont propres et qui ne concernent pas l'apprenti jardinier, sachant qu'il est des territoires privés que l'apprenti jardinier désire lui aussi protéger.

N.B. Ce chapitre a été partiellement inspiré de *Parent adolescent une relation à inventer*, op. cit.

DEUXIÈME PARTIE

Enfance, adolescence et sexualité

Vos enfants ne sont pas vos enfants.
Ils sont les fils et les filles de l'appel
de la Vie à elle-même.
Et bien qu'ils soient avec vous, ils ne vous
appartiennent pas.

Vous pouvez leur donner votre amour
mais non point vos pensées, car ils ont
leurs propres pensées.
Vous pouvez accueillir leurs corps
mais pas leurs âmes, car leurs âmes
habitent la maison de demain que vous
ne pouvez visiter, pas même dans vos rêves.
Vous pouvez vous efforcer d'être comme eux
mais ne tentez pas de les faire comme vous.
Car la vie ne va pas en arrière ni ne
s'attarde avec hier.

Vous êtes les arcs par qui vos enfants, comme
des flèches vivantes, sont projetés.(...)
Que votre tension, par la main de l'Archer,
soit pour la joie.» (...)

Gibran, K., extrait du *Prophète*, 1923,
«Propos sur les enfants».

Chapitre 4

❖

La petite enfance
(de zéro à six ans)*

L'enfant devrait être informé, dès son plus jeune âge, de la différence sexuelle et de l'interdit fondamental de l'inceste; plus l'approche de ces données se fait tardive, moins il est facile pour le jeune de les appréhender dans la réalité.

Quoi qu'il en soit, tardive ou faite à temps, l'information doit toujours viser à l'éveil d'une fierté, une fierté d'être et de grandir, qui ne va pas sans un détachement des liens primitifs[1].

---

* Ce chapitre a été partiellement inspiré de la section «Coin des parents» du livre *Ma sexualité, 0 à 6 ans*, Robert, J. et Jacob, J.-A., Éd. de l'Homme, 1986.
1. Dolto, F., *op. cit.*, p. 73.

Les trois grandes étapes du développement psychosexuel

On peut situer trois grands moments dans la croissance de l'enfant, de sa naissance jusqu'à l'âge scolaire, vers six ou sept ans.

De zéro à quinze mois: une petite boule de sensualité

Chez le nouveau-né, la bouche est la zone de prédilection. L'exploration première de son environnement se fait par les lèvres, la langue et la bouche qui est une zone très sensible. Tous les objets sont d'abord découverts et explorés par la voie orale.

Quand le bébé tète le biberon ou le sein, l'action même de sucer procure du plaisir et ajoute au sentiment d'être rassasié, satisfait. Regardez le bébé qui commence à manger seul: à l'aide de ses doigts, il sape, lèche, lape; plaisirs de la petite enfance auxquels il faut bien vite renoncer...

La bouche demeure un organe de plaisir et d'érotisme tout au long de la vie, à des degrés variant selon les individus.

Au fil de sa croissance, l'enfant expérimentera son corps sensuellement et sensoriellement. Se toucher ou être touché affectueusement est bon et procure du plaisir. Tout ce que le nouveau-né est encore incapable d'assembler dans son esprit, il l'apprend par l'intermédiaire des sens: il sait distinguer les soins tendrement prodigués de ceux donnés expéditivement et sans douceur. De cette interaction avec son entourage émerge sa personnalité propre.

Les bébés ont des réactions génitales: érection chez le garçon et lubrification vaginale chez la fille.

Sexualité, sensualité et sensorialité sont interreliées chez tous les êtres humains durant toute la vie. Pour le tout-petit, aucune partie du corps n'est tabou. Son corps réagit à l'eau, au vent, à la chaleur, aux caresses, à la douceur de son ourson de peluche...

De quinze mois à deux ans et demi: un tyran sympathique

Vers cet âge, il y a, avec l'initiation à la propreté, déplacement de la région privilégiée de la bouche vers l'anus. L'entraînement à la propreté est caractérisé par deux mouvements: se retenir ou se laisser aller. En devenant maître de ses muscles sphinctériens (Ô merveille pour le parent), l'enfant exerce pour la première fois un certain contrôle sur son environnement (Ô merveille pour l'enfant). Un dialogue subtil s'établit entre celui-ci et la figure parentale:

Je te ferai plaisir en poussant au bon moment!
Je te contrarierai en me retenant pour voir la tête que je peux t'inspirer!

Le relâchement d'une tension provoque un plaisir, et l'enfant s'accorde cette joie au moment de son choix, au grand désespoir du parent. La réaction parentale face aux fonctions corporelles de l'enfant déterminera si cet apprentissage deviendra ou non le lieu d'un rapport de force entre les parties. Souvenez-vous que, pour le petit «tyran», tout ce qu'il produit est beau et bon. C'est ce que lui ont communiqué vos extases depuis sa naissance!

Un après-midi, j'entends Véronique s'agiter après sa sieste.
Je vais pour la chercher et je m'arrête net!
Elle avait barbouillé le mur, les barreaux de son lit, son ours polaire était devenu une sorte d'hybride tacheté...
Le matelas, les draps, tout maculés. Elle en avait plein les bras, la figure et s'en faisait un shampoing...
J'étais dégoûtée à la pensée de nettoyer tout ça.
L'espace d'un instant, je me suis demandé comment j'avais pu mettre au monde ce «cochonnet».

77

Et puis, j'ai vu son visage: un air radieux, des yeux comme des étoiles, si fiers, qui me disaient: «Tu as vu comme c'est beau, hein? De l'art baroque!»
Tout ce que je peux dire, c'est que ma fureur s'est envolée, et j'ai éclaté d'un rire attendri. Je l'ai prise dans mes bras, je l'ai serrée très fort et... je me suis précipitée, avec elle, dans le bain.
Elle n'a plus recommencé. La durée des bains l'avait sans doute... dégoûtée.

L'autonomie de l'enfant doit être reconnue et valorisée à travers le phénomène de l'initiation à la propreté. Et, comme le dit Dolto, si on le laisse dire NON, il saura mieux dire OUI un jour.

Cette phase de l'**apprentissage de la propreté coïncide avec l'apparition du langage.** L'enfant prend plaisir à identifier toutes les parties de son corps: yeux, nez, oreilles, jambes, fesses... Si on n'exclut pas ses organes génitaux du reste de sa personne, il intégrera sa dimension sexuelle à sa globalité humaine.

Les mots exacts pour nommer les organes génitaux s'apprennent aussi facilement que leurs équivalents plus colorés comme *zizi, quéquette, bizoune, chatte,* ou que leurs substituts plus confus comme *pipi,* qui mêle dans l'esprit du tout-petit l'organe excréteur avec l'excrétion elle-même, ou que les synonymes carrément péjoratifs, avilissants ou agressants comme *trou, bâton.*

Il ne s'agit pas de sous-estimer les métaphores qu'utilise l'enfant et qui insufflent à la sexualité une valeur poétique. Il s'agit de se donner, dès le départ, un langage commun et correct.

De deux ans et demi à six ans: un inlassable découvreur

C'est le moment où l'intérêt de l'enfant pour les fonctions anales perd du terrain au profit de la découverte de sa génitalité. Tout ce qui concerne l'enfant l'intéresse, et l'exploration de ses organes génitaux, en tant que partie de son corps qui le différencie de l'autre sexe, témoigne de sa curiosité naturelle.

Fasciné de grandir, de connaître, d'expérimenter, il se préoccupe de sa naissance, est heureux d'enrichir son vocabulaire, se renforce dans son identité sexuelle en adoptant des rôles et des jeux qui l'épanouissent.

Le développement psychosexuel de l'enfant de cet âge est un véritable foisonnement. Aussi me contenterai-je ici de cette idée générale qui sera étoffée et explicitée dans les pages qui suivent.

Une histoire d'amour et de croissance

La sexualité du jeune enfant, c'est une histoire d'amour, de croissance, de découvertes, de beauté, de rires et de ricanements, de plaisir et de «chatouillements»...

Je vois d'ici que vous ne trouvez pas très scientifique la définition proposée. C'est néanmoins ma définition première.

C'est aussi une composante du développement de sa personne, imbriquée, plus encore que chez l'adulte, dans ses besoins affectifs, dans sa sensualité. L'apprentissage de la sexualité fait partie du processus d'autonomie amorcé à la naissance, au même titre que tous les autres apprentissages.

Le tout-petit explore. Avec la bouche d'abord et avec les mains ensuite. Quoi de plus normal? La main est faite pour toucher, palper, caresser. Mais la sienne explore tout: la grosse verrue sur le nez de votre voisin de métro, la belle peinture rouge destinée aux volets et, pourquoi pas, ses organes génitaux?

À compter de deux ou trois ans, tout son développement sera essentiellement caractérisé par la curiosité, l'imitation et la spontanéité.

Curiosité, imitation, spontanéité

L'insatiable curiosité de l'enfant le porte à s'examiner de très près; il prendra conscience, en touchant ses organes génitaux, que cette partie de son corps est particulièrement sensible. En frottant ses organes sexuels, la petite fille ou le petit garçon ressent du plaisir, variable en intensité. Purement sensuel chez l'un, ce plaisir aura une fonction de détente et d'apaisement chez l'autre. Passionné de savoir, l'enfant se préoccupe de ses origines:

> *D'où je viens?*
> *Comment je suis arrivé là?*
> *Qu'est-ce que papa a à voir là-dedans?*

Et il imite. Tout: le facteur, l'agente de police, le lutteur, la pompiste... Il joue au papa et à la maman, à être amoureux et, bien sûr, au docteur. Il assimile le langage entendu et le reproduit.

La période de deux à six ou sept ans est cruciale quant à la formation d'une identité sexuelle saine et solide, alors, attention au langage qui vient subtilement enrichir ou appauvrir la perception que l'enfant a de lui-même comme garçon ou comme fille.

L'enfant n'est pas un adulte miniature. L'expression de sa sexualité est spontanée. Elle s'intègre «accidentellement» au jeu. La fillette de cinq ans ne décide pas le matin: *«Cet après-midi je vais jouer au docteur avec le petit voisin!»*

Le jeu sexuel «survient». Quand l'enfant joue au docteur, l'auscultation ou le remède imaginaire est aussi important que le moment où il baisse sa culotte. L'enfant est tout à son jeu, dans toutes les étapes que celui-ci comporte.

La préméditation en matière d'activité sexuelle est une donnée adulte.

Besoins et expression

Même chez le nourrisson, l'émoi sensuel peut se transformer en plaisir généralisé et sexuel. Certains bébés ressentiraient une extase comparable, dans ses manifestations, à l'orgasme. Plusieurs mères ont observé ces réactions durant la tétée.

> *Le rythme du cœur s'accélère, les yeux se voilent, le ronflement respiratoire s'altère, la peau rosit et se couvre d'une fine couche de sueur, un frisson parcourt le petit corps et bébé s'arrête de téter.*

Vers un an, parfois plus tôt, parfois plus tard, parfois jamais, lorsque bébé a bien sondé son nez, ses oreilles, ses cheveux et ses orteils, il est possible qu'il s'aperçoive que le contact de ses mains avec ses organes génitaux est source d'agréables sensations. Il peut découvrir aussi que le jouet en peluche est plus doux (ou que l'utilisation de ce substitut échappe à l'attention des parents...), que le balancement d'avant en arrière sur un objet rebondi ne lui est pas désagréable.

Une dame me racontait que sa petite fille d'un an et demi avait découvert que la bande de la chaise haute, destinée à la maintenir à califourchon, pouvait avoir une tout autre fonction...

Enfin, à compter de deux ou trois ans, l'enfant expérimentera les comportements sexuels variés qui suivent.

Il arrive que les enfants de deux ou trois ans traversent un **épisode exhibitionniste.** Un comportement qu'on peut considérer comme normal puisqu'il serait le fait d'environ 90 p. 100 des enfants. Quand on n'en fait pas un drame, cela passe rapidement; une «phasette». L'enfant est rarement pervers, et il ne faut pas s'imaginer qu'il deviendra pour autant un exhibitionniste de «borne-fontaine». Probablement qu'il vient de prendre conscience de la différence des sexes et qu'il affiche sa spéci-ficité.

Le petit garçon qui se promène soudainement «pénis au vent» à la garderie, surtout s'il n'a pas de sœur, montre simplement que les filles l'intriguent.

Je préfère les expressions **autostimulation ou auto-érotisme** à *masturbation* pour désigner le comportement de l'enfant qui touche ou caresse ses organes génitaux. Encore là, pas de comparaison possible avec l'adulte, qui vise par ce geste le relâchement d'une tension sexuelle. La plupart des enfants retirent un plaisir à la fois sensuel et érotique de la manipulation de leurs organes génitaux. Ils auront des instants de prédilection pour s'adonner à ce jeu: le soir avant de s'endormir, en regardant la télévision, parfois en situation de stress.

Il convient de distinguer le jeu auto-érotique et le fait de tenir ses organes génitaux. Ce dernier geste indique plutôt une insécurité. Il est fréquent de voir un petit garçon sucer son pouce en posant l'autre main sur son pénis; même les aînés se tiennent parfois ainsi en lisant ou dans un moment d'inactivité.

L'autostimulation fait partie de l'ensemble des découvertes qu'un enfant peut faire ou ne pas faire. Il y apprivoise son corps et y explore sa sensualité.

À travers les **jeux sexuels** avec les camarades, le tout-petit se compare et se rassure: le sexe de l'autre est pareil au sien ou différent du sien. Cette vérification aura lieu même si l'enfant a eu l'occasion de voir ses parents ou ses frères et sœurs nus. Une démarche de socialisation, d'ouverture à autrui, se réalise par l'intermédiaire de ces jeux. Et, rappelons-le, c'est le jeu qui prime, pas le sexe!

Françoise Dolto[2] dit ceci sur le jeu sexuel du jeune enfant:

> *Tout ce que tu désires du sexe avec les autres de ton âge, si eux le veulent bien, mais jamais avec ceux de ta famille.*

---

2. Dolto, F., *op. cit.*, p. 79.

Malgré l'immense respect que je voue à cette dame, j'ai parfois quelques réserves quant au jeux sexuels entre frères et sœurs.

> *Bien sûr, on a laissé Julie (trois ans) jouer avec son petit frère nouveau-né. Son premier geste a été de lui chatouiller le pénis. Alors, on ne la laisse plus; on ne tient pas à ce qu'elle le tripote pendant des heures[3]!*

Vous connaissez, vous, un jeu quelconque auquel une enfant de trois ans se livre durant des heures? Moi pas. Que l'on pense seulement à la capacité de concentration d'un enfant de cet âge. Si on n'en avait pas fait un «plat», en supposant qu'elle soit à peu près normale, elle aurait examiné le pénis et, une fois sa curiosité assouvie, se serait passionnée pour le petit orteil!

Les jeux sexuels sont des jeux corporels et ils ont leur importance. Ils peuvent contribuer à diminuer ou à supprimer les craintes qui s'accumulent lorsque tout ce qui entoure la sexualité flotte dans un nuage épais et mystérieux.

Si jamais un jeune enfant manifeste un intérêt sexuel anarchique et inquiétant (ce qui est rare), le problème n'est habituellement pas d'ordre sexuel. Il faut alors chercher la signification non sexuelle du geste sexuel: abus, conflit d'identité, carence affective, etc.

Enfin, les tout-petits extériorisent aussi leur intérêt sexuel par toutes les interrogations, énoncées ou muettes, qui les habitent, par la fascination qu'exerce sur eux le phénomène de la naissance, par le vocabulaire «sexologique» qu'ils utilisent.

Que faire de tout cela?

---

3. Wells, H.M., *op. cit.*, p. 51.

Comment accompagner

Bien des parents me demandent, de façon indirecte, comment freiner l'expression sexuelle de leur enfant. Il n'y a pas de moyens. S'en forger serait faire obstacle au développement intégral de la personne.

Les caractéristiques souhaitables à l'adulte-accompagnateur sont sensiblement les mêmes que celles de l'enfant (curiosité, spontanéité), avec en plus la souplesse, l'ouverture et une bonne dose d'humilité. Pourquoi l'humilité? Parce que le parent a tout à apprendre de l'enfant; il doit être conscient de tout ce qu'il a oublié de sa propre enfance; il doit savoir que toutes les études faites sur l'enfant sont biaisées (les miennes incluses). Le parent devrait réfléchir, par les couleurs de l'information, par la musicalité de son approche, par les rythmes éducatifs, toute la beauté de la sexualité. En termes plus concrets: donner des renseignements justes au gré de l'intérêt de l'enfant, sans sauter ni devancer les étapes.

Auprès du nouveau-né, le rôle du parent se résume à lui prodiguer l'amour et les soins essentiels à son développement harmonieux et à son équilibre ultérieur. À travers le toucher affectueux de ses proches, le bébé se sent aimé, sécurisé, accueilli.

Surtout, ne pas ménager les cajoleries durant cette première année de vie! On dit que les adultes agressifs, exigeants, difficiles à vivre et sexuellement insatisfaits ont pu, dans leur toute petite enfance, souffrir de carence affective corporelle[4]. Ils continuent de réclamer sans répit des marques d'affection comme s'il leur manquait toujours quelque chose; boulimiques d'attention et de sensations, ils prennent, accaparent, sucent et épuisent toute source d'amour, jamais comblés ou rassasiés.

---

4. Montagu, A., *Touching; the human significance of the skin*, Columbia University Press, New York, 1971.

Quand surviennent les questions, surtout, pas de réponses ni d'explications compliquées qui dépassent leur demande et leur capacité de comprendre. Les enfants ne posent que les questions de leur âge; de grâce, ne leur proposez pas des réponses de votre âge. Si les mots sont importants, même avant que l'enfant sache, comprenne de quoi il s'agit, il n'est pas question pour autant de donner à l'enfant de quatre ou cinq ans des notions d'anatomie qui dépassent sa compréhension, mais bien de saisir les occasions ponctuelles et quotidiennes permettant à l'enfant d'intégrer ces notions. À cet âge, l'enfant peut voir les choses sexuelles sous forme urétrale, s'imaginer que c'est une différence dans la manière de «faire pipi».

> *«Non, ce n'est pas ton pipi, c'est ton pénis ou ta vulve.»*

Vous pouvez, pour les questions d'anatomie, vous aider de livres, de jeux, de poupées sexuées. L'enfant est concret; il a besoin d'entendre et de voir. Soyez concret; cela évitera qu'il vous demande de lui montrer votre vagin... Choisissez un moment propice, le sien, de façon à ne pas isoler le fait sexuel du reste de l'univers.

Prenez garde à votre langage. C'est un lieu commun de définir la fille par ce qu'elle n'a pas. Combien de fois ai-je entendu de la bouche d'adultes de bonne foi: *tu es une fille parce que tu n'as pas de pénis.* Primo, c'est une fausseté; secundo, c'est une assertion négative qui amène l'enfant à intérioriser un manque. Il est possible d'utiliser des termes positifs et justes et, par ricochet, de renforcer une identité sexuelle en voie de formation, d'enrichir l'estime de soi.

> *Tu es une fille et tu as une vulve, un vagin, un clitoris...*
> *Tu es un garçon et tu as un pénis, des testicules...*

85

Les bébés, la naissance

«Comment il sera mon bébé à moi?
— Ça dépend; de toi et de l'homme que tu choisi-
ras.»

Message reçu: pour faire un enfant ça prend un homme et
une femme.

«Elles sont chanceuses les filles parce qu'elles font
les bébés!
— Oui, mais elles font les bébés de qui?
— Bien... leur bébé.
— Oui, mais elles le font avec un homme; c'est aussi
le bébé de leur conjoint.»

Réponses toutes simples. Le rôle des deux sexes dans le
phénomène de la conception doit être dit à l'enfant, sans détails superflus, sans «manigance».

L'enfant aime entendre parler des événements qui entou-
rent la naissance: il est et il se sent concerné. Des informations limpides lui permettent de se situer, de comprendre d'où
il vient. Afin qu'il ait un fil conducteur, il importe de couvrir
toutes les étapes du processus: rapprochement intime entre
un homme et une femme, fécondation, grossesse, accouchement. Lui préciser que le fœtus grandit dans un lieu spécial,
l'utérus, à l'intérieur du corps de la mère. Cela paraît naïf? Si
on ne le précise pas, il s'imaginera que le fœtus se développe
dans l'estomac ou l'intestin...

Établir très tôt, sans plus de détails, que le rapprochement
sexuel entre un homme et une femme ne conduit pas toujours
à la procréation, pour éviter une confusion ultérieure.

Et puis, rien ne vous empêche de vous étonner avec lui ou
elle en le faisant verbaliser sur *comment* il imagine son séjour
utérin; l'enfant adorera...

Amoureux de maman,
amoureuse de papa

«Moi, je vais marier papa comme toi.
— Mais non, l'homme que j'ai épousé n'était pas
mon père; il est le père de mes enfants. Je l'ai
quitté, mon papa, et tu feras la même chose...»
L'enfant fait la moue
«Tu sais, on est triste un moment; mais après, si tu
savais comme on est heureux!» *(Dans la mesure où*
le mot «heureux» correspond à un état d'âme véri-
table. On ne devrait jamais «bluffer» ses enfants.)

Après un instant de tristesse, bien vite envolé si on sait y
être attentif, l'enfant comprendra graduellement que ses parents forment un couple, ou que le parent avec lequel il vit
connaît des relations affectives qui ne lui enlèvent rien, à lui.

Il renoncera à cet amour exclusif et s'ouvrira à d'autres relations. Mieux encore, il aura envie de devenir grand...

Les jeux sexuels

Que faire devant le «badinage» sexuel de son enfant avec
ses pairs?

S'il vous en parle, peut-être a-t-il besoin d'être rassuré.
Apaisez-le en lui disant que sa curiosité sexuelle est normale; interprétez avec lui ses découvertes relatives à la diffé-
renciation sexuelle; donnez-lui l'assurance de votre ouverture
afin qu'il puisse, le cas échéant, vous communiquer ses inquiétudes.

Même chose s'il vous arrive de surprendre ou
d'interrompre, par inadvertance, un jeu sexuel. Si les mots ne
viennent pas, ne vous forcez pas à parler; le langage non verbal peut être tout aussi significatif. L'important est de répondre à l'enfant par une attitude qui ne le fasse se sentir ni
coupable, ni honteux.

S'il ne vous en parle pas, c'est qu'il croit que ça ne vous regarde pas.

> *Il n'y a rien de pervers dans les amitiés électives des enfants qui échangent des chewing-gums, se caressent, regardent comment ils sont faits; ce qui est pervers, c'est lorsque l'adulte s'identifie au plaisir de l'enfant pour le juger dangereux et s'en fait le voyeur afin de l'empêcher d'en jouir[5].*

Nous devons nous méfier de notre tendance naturelle à «faire diversion» devant un comportement sexuel qui nous embarrasse. «Changer les idées» est un message équivoque et l'ambivalence génère plus d'angoisse qu'un vrai OUI ou qu'un vrai NON. Détourner l'attention de l'enfant, c'est réprouver son comportement, tout en tentant de lui faire croire, ou de se faire croire, que la sexualité est belle et bonne.

> *Oui mais... Il n'arrêterait pas si je ne lui changeais pas les idées...*

Allons donc. Les enfants ne sont pas des pervers polymorphes! Vos propres jeux sexuels sont-ils sans fin? Vous vous arrêtez quand vous êtes satisfait ou quand cela vous ennuie (du moins faut-il vous le souhaiter!...); les enfants aussi!

La même politique d'accompagnement s'applique aux comportements auto-érotiques du jeune enfant. Je ne saurais trop insister sur l'importance de prendre conscience de nos acquis et de réfléchir sur notre histoire personnelle en matière d'éducation sexuelle afin d'éviter d'en reproduire les paradoxes sous d'autres formes.

Vous savez, ce père ou cette mère qui dit que la masturbation est un comportement normal et qui s'évanouit lorsqu'il ou elle surprend son enfant à le faire...

---

5. Dolto, F., *op. cit.*, p. 99.

Une question que posent très souvent les parents: *Quand l'autostimulation devient-elle inquiétante ou anormale?*

• Quand elle conduit à la douleur physique (automutilation).
• Quand le comportement est compulsif (comme se laver les mains vingt fois par jour).
• Quand il devient l'unique centre d'intérêt de l'enfant (refuge).

Dans un tel cas, il y a lieu de trouver ce qui cloche, ce qui se tapit derrière le comportement. Nous reviendrons sur l'auto-érotisme dans une perspective plus large au chapitre des tabous.

Intimité ne veut pas dire en cachette

Quant au respect des autres et de leur espace social, l'enfant est en mesure de comprendre très tôt que certaines activités se pratiquent dans l'intimité. N'hésitez pas à le lui dire et à illustrer vos paroles de comparaisons. Par exemple, on prend son bain dans l'intimité et non «en cachette». Il n'y aura ainsi aucun quiproquo possible entre les notions d'intimité et d'interdit et, par voie de conséquence, pas (ou moins) de culpabilité.

Enfin, si votre enfant «tient» constamment ses organes génitaux, si vous avez l'impression qu'il le fait de plus en plus souvent, s'il a un comportement exhibitionniste qui perdure, s'il a des activités masturbatoires compulsives, peut-être lance-t-il des messages qui sont à clarifier.

À ne pas confondre avec le geste de provocation de l'enfant qui se met à jouer avec son sexe, au beau milieu du salon au cours de la visite de grand-mère. Tous les enfants passent par des épisodes de confrontation et de défi. Ils prennent plaisir à attirer l'attention, à choquer. Et plus l'entourage réagit vivement aux gestes de provocation, plus leur excitation est grande et plus ça continue... Pour désamorcer le circuit: rester calme, expliquer placidement.

«Blottissage» parent-enfant
et nudité en famille

Que penser de la nudité en famille et de la mode des massages qui a fait fureur ces dernières années? La promiscuité corporelle parent-enfant est-elle souhaitable? Bénéfique? Dangereuse? Je pense qu'il appartient à chaque famille de trouver le point d'équilibre qui lui convient à travers toutes ces écoles de pensées.

Françoise Dolto n'y va pas de main morte. Elle proscrit le corps à corps, le «blottissage», après le sevrage de l'enfant, arguant que *«les parents ne sont pas chastes»*. Elle pense que les *«enfants sont détruits par la promiscuité et les câlins interminables de mères frustrées[6]»*. Elle voit dans la promiscuité physique une incitation à l'inceste, consommé ou symbolique.

Il est vrai que la sensualité du tout-petit est grande, généralisée. Il est vrai aussi que le parent exerce un pouvoir de séduction sur lui, pouvoir dont il doit être conscient. Que faire? Trouver le juste milieu qui fasse en sorte que l'enfant ne soit pas frustré d'attentions corporelles sans pour autant qu'il occupe exagérément cet espace.

Pour ma part, je persiste à croire que l'enfant sevré a besoin d'être aimé corporellement. Son corps est ce qui concrétise son être-au-monde; prétendre aimer quelqu'un et ne jamais le lui signifier autrement que par les mots me paraît un non-sens. Comment peut-on se sentir aimé, important, sans être accueilli dans son intégrité corporelle?

Néanmoins, il nous faut prendre conscience de nos besoins de parents.

---

6. Dolto, F., texte *L'Éducation quotidienne vue par F. Dolto*, Notes de stage ÉDU7710, p. 45.

Sommes-nous avides de relations trop exclusives avec notre enfant?

Le «tétons-nous», au figuré, pour combler nos propres carences affectives?

La pensée que ce qui compte pour lui, pour elle, c'est de nous quitter un peu plus chaque jour nous réjouit-elle?

Répondre à ces questions et aux autres qui nous sont personnelles constitue le premier échelon qui permet d'atteindre le point d'équilibre en ce domaine.

Je suis portée à croire que le «blottissage» est sain pour autant que l'enfant ne se perçoive pas comme l'élu de sa mère ou l'élue de son père, dans la mesure où l'enfant sait que son père ou sa mère dort (ou peut dormir) la nuit avec un être plus important que lui sur ce plan. Et ceci, même si le parent n'a pas d'élu ou d'élue du tout, ou pas d'élu ou d'élue à la «hauteur» de sa sexualité.

Quant à la nudité, j'avoue que depuis le crescendo des cas connus d'inceste et d'abus sexuels d'enfants, j'ai quelques réserves «doltoïstes» quant aux possibles conséquences de la nudité des parents sur les tout-petits... Si l'on prête ne serait-ce qu'un peu de foi à la pensée qui prétend que le tout-petit qui se glisse dans le lit conjugal pour un «câlin» est sexuellement excité, vigilance s'impose. Certaines situations incestueuses ont commencé par de naïfs «bisous» de chambre à coucher. Et si l'enfant associe plaisir sexuel et parent aimé, comment pourrait-il se soustraire à l'inceste?

Abus sexuels et inceste*

Il y a peu d'interdits. L'inceste en est un, disons-le clairement.

---

* Voir aussi le chapitre 9.

Si tous les enfants avaient été avisés simplement et sans drame: *les jeux sexuels oui, mais pas avec un adulte et pas dans la famille*, combien ne l'auraient pas subi, dans le silence et la peur, durant des années! Combien de blessures et même de morts morales auraient été évitées!

Abuser sexuellement ou se laisser abuser est le second interdit. Profitez du moment où vous vous êtes aperçu que votre enfant a des jeux sexuels pour le prévenir qu'il ne doit jamais se laisser faire, par un autre, quelque chose dont il n'a pas envie.

L'idée de libre consentement, de réciprocité, s'enracine très tôt. Avec les plus âgés, les petits subissent parfois des menaces, physiques ou verbales. À ce stade, il ne s'agit plus de jeux sexuels sans conséquences mais d'un rapport de pouvoir associé à la peur. Si vous soupçonnez une telle situation, dites à votre petit que vous êtes de son côté. Invitez-le à vous en parler si **qui que ce soit** veut le contraindre à poser ou à subir des gestes qu'il ne désire pas, exactement comme il le ferait si un plus grand lui prenait sa bicyclette sans son accord.

Une fois cela dit, ne lui cassez pas les oreilles avec les abus sexuels. Vous risqueriez de rompre la communication; il préférerait se taire plutôt que de vous mettre dans tous vos états. Le meilleur atout pour prévenir et contrecarrer les abus: un milieu familial ouvert où le mot *sexe* n'est pas exclu du vocabulaire.

Je rêve du jour où n'importe quel enfant, même tout petit, répondrait à quiconque le menacerait d'aller tout raconter et de le lui faire payer:

Vas-y donc! Je le dirai moi-même de toute façon!

Sexisme

Et pour finir, un petit mot sur le sexisme. Les années de la petite enfance sont déterminantes quant à l'intériorisation des rôles, clichés et stéréotypes sexuels culturels. Ceux-ci conditionnent le potentiel de bonheur de l'enfant, l'aptitude à être bien dans sa peau, la liberté d'être, d'agir, de choisir, le respect de soi et de l'autre. Ne nous laissons pas aveugler par les quelques progrès antisexistes réalisés ces dernières années. Les acquis sont fragiles et beaucoup reste encore à faire pour poursuivre le timide virage amorcé, pour ne pas perdre de vue les objectifs poursuivis.

Par ailleurs, l'éducation sexuelle des deux dernières décennies, et j'inclus ici les mouvements de femmes, s'est beaucoup orientée vers les filles. La nécessité d'un rattrapage nous a obligés à nous préoccuper davantage de la sexualité de la fille. Ce fut le cas dans les familles, à l'école, dans la littérature, dans les programmes sociaux dont les contenus se sont surtout adressés aux filles.

Quatre-vingt-quinze pour cent des jeunes lecteurs qui m'écrivent relativement à mes livres d'éducation sexuelle destinés aux 6-12 ans sont des lectrices. Sans doute ai-je moi aussi, plus ou moins consciemment, tenu un discours s'adressant d'abord aux filles. Peut être aussi les parents fournissent-ils plus de matériel d'éducation sexuelle à leurs filles parce qu'ils craignent davantage pour elles. Nous ne devons pas nous imaginer que les attitudes sexuelles des garçons puissent changer par une sorte de mutation, d'adaptation consécutive aux changements chez les filles. On commence à s'en ressentir tristement. *«Que sont nos amis devenus?...»* Voilà ce qu'ont l'air de penser les adolescentes de 1989.

Refuser de changer d'amure serait reproduire le modèle sexiste inversé. Une travailleuse sociale me confiait qu'à son avis les fillettes victimes d'abus sexuels recevaient plus d'attention que les garçons. Parce qu'elles sont plus nombreuses? Oui, mais aussi «parce que le garçon, étant du groupe des dominants, a plus de chances de s'en sortir seul». Il y a du vrai là-dessous, mais la victime masculine deviendra à son tour l'abuseur et le cycle infernal se reproduira... N'est-il pas crucial de prévenir au mieux un tel risque?

L'espèce humaine étant condamnée à être bisexuée, nous devrions être soucieux de bâtir et de projeter de beaux et sains modèles masculin et féminin. Je lance la balle dans le camp des hommes; il y a de nouveaux flambeaux à porter. Ce sont des hommes qui peuvent le mieux rejoindre les garçons dans leur sensibilité et leur vulnérabilité, qui peuvent développer des approches qui les touchent et les atteignent dans leurs besoins muets. La présence et l'engagement masculins, significatifs, auprès des jeunes garçons risqueraient de déboucher sur une réelle redéfinition des rôles sexuels dévolus aux hommes, définition à laquelle les garçons participeraient enfin.

Les petits gars ont vu trop de figures masculines *maganées* sur la place publique, la plupart du temps, hélas, à juste titre. Que les autres se lèvent et s'affichent; j'ai le sentiment profond qu'il y a urgence! Les enfants ont besoin de modèles autres, auxquels s'identifier; besoin de voir des hommes adultes se désolidariser publiquement du modèle masculin dominant et abuseur, qui montrent un visage différent de la masculinité.

Besoin d'autant plus grand pour les tout-petits qui s'apprêtent, à l'orée de l'âge de raison, à faire le saut dans une étape drôlement sexiste de leur développement.

Chapitre 5

❖

L'enfance
(de six à douze ans)*

C'est aux enfants de ce groupe d'âge que je me suis d'abord intéressée: rien ne leur était destiné en matière d'éducation à la sexualité. Beaucoup de matériel sur la naissance, pour le tout-petit, et puis un vide jusqu'au moment de prévenir les préadolescents de l'imminence de la puberté.

Pourtant, ni le temps, ni le développement psychosexuel de l'enfant ne sont suspendus entre l'arrivée à l'école élémentaire et l'entrée au secondaire. Bien au contraire. Avec le vocabulaire qui s'enrichit, la pensée qui s'affine, la compréhension de notions de plus en plus abstraites, l'apprentissage de la vie en société, l'enfant est préoccupé et concerné par une profusion de faits liés à sa croissance affective et sexuelle.

Allons-y voir.

---

* Ce chapitre a été partiellement inspiré des livres *Ma sexualité 6-9 ans* et *Ma sexualité 9-12 ans*, Robert, J., Éd. de l'Homme, 1986.

Période d'intégration progressive

Freud a qualifié cette étape de la croissance *période de latence,* supposant ainsi que ces années coulaient dans une sorte de torpeur, le développement sexuel étant en panne.

Je ne suis pas freudienne, c'est là mon moindre défaut, et je mets en doute cette théorie. Du déclin de l'intérêt pour la génitalité (vers six ou sept ans) jusqu'à la puberté, il se passe bien des choses... Freud y a vu un long moment de stagnation parce que, dans son esprit, il y avait adéquation entre sexualité et génitalité. L'enfant de neuf ans manifeste son être sexuel fort différemment de celui de quatre ans, de manière plus diffuse, moins centrée sur l'«appareillage» génital.

Que sont donc toutes ces questions qui reviennent sur la naissance, cette adhésion au clan unisexe, ces scénarios de séduction à demi voilés, cette fascination pour les idoles, cette attention surexcitée envers la sexualité adulte si ce n'est l'expression renouvelée de la croissance sexuelle?

Diminution de l'intérêt pour la génitalité, oui. Latence sexuelle, non.

Entre six et douze ans, l'enfant s'unifie. Il incorpore de nouveaux éléments à sa compréhension de la naissance et du dimorphisme sexuel; il identifie graduellement ses besoins. Il écoute, observe, se façonne, prend position. Il assimile. Il saisit que *si son corps c'est lui, lui, ça n'est pas juste son corps.*

Si à sept ans il peut encore demander *Comment je suis né?*, à douze ans il vous posera la colle *Pourquoi je suis né?*

Ce passage, de six à douze ans, mérite plus d'attention que ce qu'on lui accorde généralement. Ce qui est peu ou mal assimilé durant cette phase risque de se digérer bien mal à quatorze ou quinze ans. Dolto cite le cas d'une jeune fille qui, à seize ans, s'est vu offrir des leçons d'éducation sexuelle, par sa mère (monoparentale depuis toujours) qui souhaitait la voir moins ignorante qu'elle-même autrefois. Après la série de trois conférences, l'adolescente avait retenu notamment que les ovules étaient:

des petits bébés tout faits dans le ventre et il faut un
homme pour les déclencher[1].

L'expérience aurait été fort différente si la fillette s'était trouvée à huit, dix ou douze ans dans un groupe de filles, avec un adulte qui les aurait informées et les aurait fait parler de leur corps, de leurs intérêts, de leur développement, de leurs parents (présents ou absents) en tant que modèles d'identification sexuelle.

Voici un exemple d'information sexuelle trop didactique, tardive, coupée de la vie, pièce trop longtemps manquante au tableau du développement personnel. Comment une fille peut-elle assimiler et tenir compte, du jour au lendemain, d'un tel bombardement de notions sexuelles?

La tranche d'âge entre six et douze ans est idéale pour une saine intégration. L'enfant absorbera souffrance et misère comme valeurs de base si on passe son temps à se lamenter:

Si tu savais ce que j'ai enduré...
Ah! ce n'est rien à côté de moi...
Le sida, quel drame; on va tous y passer, ma foi...

Il s'imprégnera par ailleurs de valeurs porteuses de joie et de satisfaction, réalistes et réalisables si nous lui faisons comprendre que nous pouvons agir sur les choses, que nous pouvons toujours aller vers des bonheurs plus valables.

Le clan unisexe

L'appartenance à son clan unisexe est caractéristique de l'enfant de cet âge. C'est la période *les gars avec les gars, les filles avec les filles.* Vous vous souvenez de cette étape de votre vie? *Les filles des guenilles, les garçons des cornichons.*

---

1. Dolto, F., «Information et éducation sexuelle», in *Parents et maîtres* (1973), citée dans *L'Échec scolaire*, Ergo Press, 1989, p. 81.

On assiste ici au transfert de l'énergie libidinale affichée à une énergie d'emmagasinement. Assimilation et «stockage» ne sont pas pour autant dépourvus de séduction. On est timide et discret à sept, huit ou neuf ans en ce qui regarde ses élans «amoureux».

> *Je me souviens de Catherine (huit ans), qui s'acharnait chaque jour, en trottinant vers l'autobus scolaire, à défaire les tresses françaises que sa mère venait de mettre un temps fou à lui faire. Le jour où la mère a su, par la copine de Catherine, que Stéphane la préférait cheveux défaits, elle ne s'est plus entêtée à la coiffer ainsi...*
> *Et, dans ce même autobus, Paul-André (dix ans) partageait exclusivement ses chocolats avec Annick...*
> *Une façon non verbale de dire «Tu me plais!»*

Plus la puberté approche, plus la caste unisexe s'effrite. Elle sera bientôt trouée comme un fromage, remplie de brèches et de fenêtres ouvertes à l'autre sexe: premier «party», premier baiser, première «blonde» ou premier «chum»...

Quelle belle époque! Pleine d'interrogations, de secrets, de mystérieux prétextes. Un peu d'angoisse aussi qui pointe, à l'orée des grandes transformations à venir.

Besoins et expression

Quels sont leurs besoins? Comment les révèlent-ils? Qu'en est-il de la composante sexuelle du fiston qui a huit ans, de la fillette de dix ans?

Maintenant que l'enfant sait faire la différence entre les cils et les sourcils, entre la pupille de l'œil et l'iris, entre l'index et le majeur, il a besoin de préciser et d'étoffer sa compréhension de la différence sexuelle. Anatomie et physiologie des organes sexuels internes et externes sont à élucider progressivement, au fil des années. Dans ce même esprit, le prépubère ne demande qu'à mieux saisir le processus de conception-fécondation-gestation-naissance ainsi que la responsabilité qui en découle.

Il est possible qu'en lui expliquant plus en détail sa morphologie, la fillette soit tentée d'y aller voir. Et puis après? Quoi de plus normal que de vouloir savoir comment on est faite, que de désirer se connaître entièrement. Trop de filles et de femmes imaginent encore leurs organes génitaux comme un cloaque, mêlant dans leur visualisation intérieure les organes distincts qui composent la vulve.

> *J'ai vu des femmes adultes aller consulter un spécialiste parce que leur vulve n'était pas conforme à celle qu'elles venaient d'apercevoir sur une illustration ou dans une revue!*

Cela vous renverse? C'est pourtant loin d'être surprenant! Qui leur a jamais dit que la vulve est comme un visage? On a tous deux yeux, un nez, une bouche, mais on ne ressemble à personne; on a un teint différent, un grain de peau différent, des lèvres minces ou charnues, etc. Qui a jamais encouragé les filles à se mieux connaître? Qui leur a jamais dit que les muqueuses génitales sont en tous points semblables à celles de la bouche, en plus propres, puisque moins exposées aux microbes? La plupart des femmes se sont soumises à l'exploration de leurs organes génitaux par leur médecin à l'occasion d'examens gynécologiques, ou par leur amant au cours de jeux sexuels, bien avant d'avoir osé s'approprier cette partie intégrante d'elles-mêmes.

> *J'entendais tout récemment une adolescente confier à une autre qu'elle devait mettre des suppositoires vaginaux pour traiter une infection et qu'elle craignait de se tromper d'orifice!*

Inouï! Pourtant vrai et pas si étonnant que ça! On ne peut se faire une représentation mentale de ce qu'on est si on ne s'est jamais donné la peine de se regarder, si on ne s'y est jamais senti autorisé. Des paliers, qui sont les degrés premiers de l'apprentissage et du développement, sont escamotés.

Cela n'est pas parce que les organes sexuels féminins sont morphologiquement moins visibles et moins accessibles qu'ils doivent rester d'occultes inconnus au regard même de leur propriétaire.

Voir venir sa puberté

À partir de huit ou neuf ans, l'enfant doit pouvoir apprivoiser l'idée de sa puberté prochaine.

Si vous pensez que la puberté n'est plus une source d'angoisse, vous vous illusionnez. Ce sont les enfants de huit à douze ans qui m'écrivent le plus, et ils le font ordinairement pour se soulager de leur anxiété à la pensée de se transformer. La recherchiste d'une émission de télévision destinée aux 8-13 ans me montrait des lettres d'enfants:

> *Les garçons ont-ils une sorte de menstruation?*
> *J'ai peur que ça m'arrive en classe? Qu'est-ce que je ferais?*
> *Est-ce qu'éjaculer nous affaiblit?...*

Des questions de cette nature ne sont pas rares. Aussi est-il souhaitable de préparer les enfants plutôt que d'essayer de les tirer du bouleversement quand ils y seront plongés. Entre six et douze ans, l'enfant doit apprivoiser son corps, comprendre son fonctionnement et ses émotions et, surtout, «voir venir sa puberté».

D'autre part, les enfants de ce groupe d'âge s'interrogent sur la sexualité adulte. Presque tous, vers neuf ans, ont été témoins, oculaires ou auditifs, de rapports sexuels adultes. Si on ne leur a jamais parlé que de sexualité de reproduction, ils se demanderont comment il se fait qu'ils ne soient pas plus nombreux dans la famille.

L'apprentissage par imitation n'a pas, non plus, complètement cédé le pas, et certains enfants vont jouer à «faire l'amour», reproduisant la gestuelle, l'essoufflement, les onomatopées... Il s'agit, la plupart du temps, d'un corps à corps, sans pénétration, et souvent tout habillé; un prétexte pour se toucher, pour transgresser l'interdit du clan unisexe. Les gamins qui se chamaillent, se bousculent, luttent en se roulant par terre, se tiraillent, comblent aussi par ces subterfuges leurs besoins de toucher et d'être touchés.

La norme du déclin de l'intérêt pour la génitalité n'est pas absolue.

> *J'avais huit ans. Je me souviens parce que nous venions d'emménager dans une vieille maison. J'avais déniché un vieux fauteuil au grenier. Il avait un accoudoir rembourré exactement de la bonne taille. Je me balançais et me frottais dessus en rêvassant. Je sentais monter en moi une sensation qui finissait par m'envahir tout entière[2].*

Finalement, entre six et douze ans, garçons et filles ont besoin, plus que jamais, de modèles auxquels s'identifier. Ils sont coincés par les stéréotypes sexuels culturels. Ils ont des

---

2. Wells, H.M., *op. cit.*, p. 79.

idoles qu'ils vénèrent. Ils ne jurent que par elles et veulent par-dessus tout leur ressembler. À travers ce «moulage», ils consolident leur identité sexuelle propre; les épousailles avec le clan unisexe remplissent la même fonction.

> *Je fais comme les filles et les femmes, je fais partie du groupe des filles, donc je suis une «vraie» fille.*
> *Je fais comme les garçons et les hommes, je fais partie du groupe des garçons, donc je suis un «vrai» garçon.*

Post-petite enfance et prépuberté, âge tendre, âge de malléabilité, de plasticité du caractère. Années de clarification, de consolidation, d'intégration, de responsabilisation.

Comment accompagner

Respect de ses secrets et de son intimité

Alors que de nombreux parents se plaignent de la «loquacité» sexuelle des tout-petits, ceux qui ont des enfants de six à douze ans protestent plutôt de leur mutisme!

Garçons et filles de cet âge sont discrets, traversent des épisodes pudiques, défendent jalousement leur intimité.

> *Votre fils de douze ans s'emmure dans la salle de bain et la quitte emmailloté jusqu'aux oreilles pour faire les dix pas qui le séparent de sa chambre?*

Ne le taquinez pas. Ceci, même si vous avez cru qu'il deviendrait exhibitionniste tellement il avait la nudité facile quand il avait six ans. Ne vous offusquez pas non plus que votre fille ne vous présente pas son «fiancé». C'est son affaire, son secret.

Des réponses concises

Ils ont besoin de précisions sur certaines données anatomiques, pas d'explications superflues ou de longues descriptions. L'autre jour, je disais à Olivia:

> *«J'ai l'impression que c'est à ton père que tu t'adresses toujours quand tu as une question. C'est peu courant et je suis curieuse. Pourquoi ne t'adresses-tu pas à ta mère?*
> *— Parce que je n'ai pas besoin d'en savoir autant.*
> *— Comment cela?*
> *— Mon père me donne des réponses, ma mère me fait des conférences.»*

Besoin de réponses sur ce qui les intéresse, pas de sermon fastidieux sur ce qui ne les concerne pas.

Guillaume, neuf ans, demande à son père ce qu'est un transsexuel.

> *Bien voilà; on coupe le pénis et les testicules, ensuite on fait une ouverture pour le vagin...*

Réponse excessive; Guillaume n'a pas digéré son dîner. La demande n'avait rien à voir avec la description de l'opération chirurgicale. Il eût été pertinent de répondre simplement:

> *Un transsexuel, c'est un homme ou une femme qui est mal dans sa peau et dans son sexe; il voudrait appartenir à l'autre sexe.*

Être parent partisan de l'honnêteté, cela veut aussi dire être sensible à l'enfant, à son rythme et au contenu de la demande.

Les rejoindre sur leur terrain

Vous souhaitez qu'il vous parle de lui, qu'elle se raconte? Ne le lui demandez pas. Parlez-lui plutôt de vous: votre premier «chum» ou votre première «blonde», vos boutons à la puberté, le premier baiser échangé. Cela leur plaît et c'est rassurant; on se sent moins seul à trouver difficile l'approche de l'autre.

Ou encore, amorcez le dialogue à partir de leurs idoles: chanteuse, sportif, musicien, romancière...

Qu'est-ce qu'il lui trouve?
Veut-elle lui ressembler? Pourquoi?

L'éducation sexuelle n'est pas à côté de la vie. Elle est au cœur de la vie. Si votre prépubère somnole lorsque vous vous racontez, n'insistez pas. S'il sent votre ouverture, soyez certain qu'il reviendra vers vous au besoin.

Avec vos limites et votre personnalité

Vous êtes pris au dépourvu devant une question, pris d'un malaise face à une situation: dites-le. Convenez ensemble de reprendre la conversation à un autre moment, le temps que vous retombiez sur vos «pattes». Mais n'oubliez pas de revenir sur le sujet là où vous l'aviez laissé!

Les enfants entendent plusieurs sons de cloche. Il y a la vérité de l'école, celle de la «gang», celle des médias, celle du centre sportif, etc. Restez proche de votre vérité sans penser que c'est LA vérité.

«Oui, mais Untel, lui, il dit le contraire de toi!
— Untel n'est pas moi, et moi je ne suis pas Untel;
nous pensons différemment.»

Et quand ils sont au plus fort de leurs attitudes et de leurs comportements discriminatoires à l'endroit de l'autre sexe, ils sont, le plus souvent, au sommet de la fascination qu'exerce la différence.

> *«Ah les filles, je m'en fiche, elles sont si...*
> *— Tu ne t'en ficheras pas toujours parce que tu plairas aux filles.*
> *— Ah oui???»*

La sexualité adulte

Enfin, c'est à cet âge qu'il faut situer la sexualité adulte dans son contexte de communication, de plaisir, d'affection, de responsabilité. Avec les plus jeunes, évoquez-la sous forme de jeu.

> *Un corps ça parle et ça rit à tout âge!*

S'ils ont surpris ou entendu vos ébats amoureux, n'attendez pas qu'ils vous en parlent, réconfortez-les plutôt que de les laisser s'imaginer une «bagarre».

> *Un homme et une femme quand ils font l'amour redeviennent comme des enfants. Ils jouent, se «chamaillent», s'essoufflent.*
> *Ils émettent des sons bizarres et font du bruit.*
> *Ils se font du bien même si ça n'en a pas l'air!*

Votre fillette vous a déjà vue utiliser un tampon ou une serviette hygiénique, votre fiston vous a dit un jour: *«Maman, j'ai vu du sang!»* et vous lui avez répondu: *«Mais oui, j'ai mes règles; c'est du sang mêlé d'eau, ça ne fait pas mal et ça n'est pas dangereux»;* vous pouvez maintenant **les aider à voir venir leur puberté.**

Tentez de les y préparer, non seulement sur le plan de ses changements physiologiques mais aussi de ses retombées affectives. Informez-les à l'avance de l'éveil sexuel qui y est associé. Rendez possible, par votre attitude et votre témoignage, la verbalisation de leurs émotions. Valorisez le passage à la puberté; il comporte quelques écueils mais aussi des beautés.

Aussi, bien qu'ils réclament habituellement moins de marques d'affection et de tendresse que dans la petite enfance, ils en ont toujours besoin. Ils sont grands et petits à la fois. Ils sont habités de rêves de «grands» qu'ils confient à leur ourson de peluche.

En définitive, si vous avez accompagné votre enfant tout au long des sentiers de sa croissance sexuelle, le besoin de traiter isolément la problématique des abus sexuels sera probablement superflu. L'enfant aura appris à reconnaître cette réalité et aura développé sa volonté d'exercer sa liberté et de se faire respecter.

❖

Chapitre 6

❖

La puberté: l'entre-deux-mondes

Je ne sais jamais quelle tête elle fera en rentrant. Une fois c'est noir, une fois c'est blanc, tantôt les rires, tantôt les larmes. Seule avec moi, elle se blottit, rêveuse. Si je lui fais la bise devant ses amis ou amies, elle me pétrifie du regard, l'air dégoûté, comme si je l'avais agressée.
Et lui. Il dort encore avec ses «nounours», nous embrasse tendrement avant d'aller dormir. Avec sa «gang», il sacre, se bat, fait sans doute bien pire encore... Il feint de ne pas nous voir si on les croise. S'il ne peut pas nous éviter, il nous salue vaguement, l'air détaché comme si nous étions des extra-terrestres...

Vivre avec un *péri-pubère* c'est péri-lleux!
Un parchési existentiel: ça monte, descend, piétine sur une case, dégringole au moment où on s'y attend le moins, grimpe à nouveau. Il nous épargne, nous punit, nous récompense, nous glorifie ou nous châtie. Rarement au neutre. Passionnant. Éreintant.

Passage vers un nouvel équilibre

La puberté, au sens livresque, c'est l'ensemble des modifications physiologiques et psychologiques qui se produisent à cette époque: apparition des caractéristiques sexuelles secondaires, de la menstruation, de l'éjaculation.

La capacité de procréer inaugure une grande saison de «premières»: l'adolescence.

Zone dangereuse?

L'espace pubertaire a maintes fois été codé rouge: dangereux. S'agit-il d'un tournant plus marquant que l'entrée à l'école ou sur le marché du travail, plus décisif que celui de la quarantaine ou de la ménopause? J'en doute. Particulier, oui. Et plus fertile en changements de toutes sortes. Le passé, avec tout ce qu'il a fait de nous, et le futur, avec tout ce qu'il contient d'incertitudes, se jettent à la croisée de chacune des étapes de la vie.

> *Le carrefour de ma propre puberté fut l'une des périodes les plus plaisantes de ma vie, sous plusieurs aspects. J'ai adoré profiter tantôt d'être privilégiée comme une enfant, tantôt d'être considérée comme une adulte. Ce sentiment exquis (pour moi uniquement peut-être) d'être suspendue entre deux mondes, avec tout au fond de moi une impulsion irrésistible de bondir en avant...*

L'adolescence ne s'installe pas brusquement avec la puberté. Il y a des marches avant, des marches arrière. Elle s'annonce doucement par des mouvements nerveux, des larmes de déséquilibre, des fous rires uniques...

Êtes-vous, comme moi, de ceux qui remarquent le caractère unique d'un éclat de rire? Observez le fou rire d'un préadolescent ou d'une préadolescente. Aucun ne lui est comparable; il contient tous les excès.

Qui suis-je? Où vais-je?

La manifestation centrale de la puberté: première menstruation, première éjaculation. Le corollaire des transformations corporelles: on ne sait plus trop qui on est, où on va.

Un corps qui se redessine

Des mécanismes naturels et internes s'activent et entraînent des modifications corporelles déroutantes. L'enfant n'a aucun contrôle sur la poussée hormonale qui le transforme, redessine son corps, éraille sa voix. Son miroir lui renvoie une image physique décevante, non conforme, voire opposée aux modèles esthétiques suggérés ou imposés par la société.

> *Ce coureur automobile, si grand, si musclé, si sûr de lui, entouré de filles toutes plus belles les unes que les autres, est toujours son idole. Il marche comme lui, conduit, dans ses fantasmes, sa voiture comme lui, s'habille comme lui.*

> *Et cette chanteuse adulée, vêtue de toilettes excentriques, «sexy», riche, avec tous les hommes à ses pieds, elle rêve qu'elle lui ressemble, qu'elle vit sa vie. Elle se coiffe comme elle, se maquille comme elle, sourit comme elle.*

Par-dessus le marché, ce corps hybride, ni enfant ni adulte, devient le lieu d'une résonance irréfutable: l'attraction pour autrui.

L'attrait

On ne sait pas comment se comporter avec l'autre. On est séduit, attiré, craintif.

Delphine (onze ans) se prépare pour aller au «party»
de Simon.
Elle est dans la lune, sa planète de prédilection.
Simon est si beau, si gentil, si... Oh! Il ne faut pas
qu'elle oublie cette cassette qu'il aime tant. La re-
marquera-t-il?... Dansera-t-elle avec lui?... S'em-
brasseront-ils?...

Et les sensations assoupies, diffuses, refont surface, se réveillent, focalisées...

Chez lui, Simon (douze ans) est lui aussi dans la
lune.
Il est embarrassé. Son pénis ne se contente plus de-
puis quelque temps de le faire se réveiller la nuit, ...
il bondit, durcit à tout moment... Il est troublé,
craint d'être l'objet de moqueries...

À cet âge, les jeunes s'interrogent sur la sexualité et sur leur propre sexualité. Les faits et phénomènes entourant la procréation les intéressent désormais en tant que géniteurs et génitrices virtuels. S'ils ont bien compris *d'où ils viennent, comment et pourquoi ils sont venus,* ils appréhenderont mieux *où ils vont, comment et pourquoi ils y vont.*

Le moins que l'on puisse dire, c'est que la puberté est une période de grande effervescence. Le corps et l'esprit deviennent des moteurs de transformation de toute la personne.

Besoins et expression

Au passage de la puberté, les jeunes ont de nombreux besoins et interrogations face aux phénomènes menstruel et éjaculatoire. Cette soif de savoir devrait être étanchée avant l'apparition de ces manifestations qui leur sembleront soudaines et brusques s'ils y sont peu ou mal préparés.

Certains signes physiques sont précurseurs de la menstruation: quelques poils au pubis, gonflement des aréoles, sécrétions vaginales blanchâtres qui peuvent tracasser la fillette non avisée. Elle a avantage aussi à comprendre les rudiments du cycle menstruel qui s'installera, irrégulier au début, ainsi que les mécanismes de sa fertilité.

Le plus souvent, les filles ne sont pas gênées par les règles en elles-mêmes. Ce qu'elles craignent, c'est que cela se «voie».

Chez le garçon, des indices annoncent aussi la capacité éjaculatoire: apparition de poils au pubis (ceux de la lèvre supérieure et des aisselles arrivent plus tard), baisse du timbre de la voix, augmentation de la taille des organes génitaux. Attention, vers douze ans le garçon voit aussi ses aréoles se gonfler. Il doit être averti de ce phénomène; s'il l'ignore, il croira qu'il se féminise. Le mécanisme éjaculatoire, bien qu'il soit associé au plaisir, inquiète de nombreux garçons. C'est quelque chose de nouveau, d'à la fois agréable et angoissant.

Garçons et filles pubères ont bien des émois à partager. Il arrive aussi qu'ils passent par une sorte de régression[1].

> *Sophie a eu ses premières menstruations il y a peu de temps.*
> *Dans les semaines qui ont suivi, elle s'est mise à se comporter en bébé. Elle se collait à mes jupes comme à trois ans. Elle est même allée déterrer ses poupées à la cave et elle dort avec elles depuis...*

Beaucoup de mères ont observé des réactions similaires chez leur fille pubère. Marche arrière pour se donner un élan; prise de recul pour apprivoiser la situation et la dépasser...

---

1. Cela confirmerait l'hypothèse de Gail Sheehy, auteur de *Passages*, (éd. Pierre Relfond, 1977) qui soutient que tout changement majeur est précédé d'une régression. Citation de mémoire.

Éveil génital

L'activité hormonale déclenche des réactions génitales intensifiées. Les jeunes deviennent plus conscients de leurs organes génitaux. Elle se sentira «mouillée» à la vulve au contact de son petit ami ou simplement en y pensant. Lui associera ses érections à une excitation sexuelle et pourra être gêné de cette réaction tout à fait naturelle. Néanmoins, ce malaise n'empêchera pas la majorité des garçons de répéter l'expérience du plaisir en solo en rêvant du duo...

> *La nature pousse l'être humain à être constamment créatif, à chercher l'autre en vue d'une fécondité. Mais la fécondité n'a pas à être entendue seulement sur le plan physiologique: ça peut être sur le plan psychologique, affectif, culturel...* [2]

À partir de là, la recherche de fécondité n'est pas l'apanage de l'hétérosexualité. On ne peut nier à l'être humain, déjà socialement marginalisé du fait de son attirance pour ceux ou celles de son sexe, sa quête de fécondité.

Et l'attraction est toujours un mouvement vers l'extérieur, vers l'autre, vers le plaisir, vers le bonheur.

Orgiaque à onze ans?

La sensibilité génitale associée à l'apport hormonal pubertaire ne signifie pas désir de passer à l'acte sexuel. Elle se manifeste sous forme d'intérêt accru, de curiosité, de fascination exercée par la différence des sexes. À cet âge, les nouvelles «gangs» admettent l'autre sexe, devenu bien excitant. Les émotions sont à fleur de peau, les élans pas toujours censurés.

---

2. Dolto, F., *op. cit.*, p. 105.

Une jeune fille de seize ans raconte un souvenir:

Nous avions onze ou douze ans. Deux des garçons étaient frères; leurs parents étaient sortis et on faisait les fous. Il faisait chaud, torride. Marie-Claude a dit: «On enlève nos vêtements.» On l'a fait, tous les six. Un des gars ne voulait pas ôter son slip; on l'a tous aidé.

Alors, les garçons se sont mis en ligne pour mesurer leur pénis. Et puis les filles, on est allées chercher des rubans et on leur a attaché autour du pénis. On riait comme des fous... Ensuite on s'est mis à danser autour de la pièce. On était morts de rire, essoufflés... Tout cela était d'un drôle et tellement naïf! On riait tellement qu'on a pas entendu les parents entrer.

Ç'a été un drame. Mes parents en ont longtemps parlé comme d'une orgie[3].

Une orgie d'enfants de onze ans? Que non. Des enfants qui ont ri et dansé nus; une farandole fantaisiste et spontanée, une ronde pour exorciser des émotions nouvelles et envahissantes...

Le détachement parental

Le jeune est en processus de détachement des parents, d'affirmation de son autonomie. Emmêlé dans la crinière des clichés et stéréotypes, il n'en désire pas moins se démarquer du «joug» familial. Il y a de bonnes chances qu'il vous rejette énergiquement. Il vous contestera férocement si vous êtes conventionnel et dans la norme; il aura honte de vous si vous êtes marginal...

---

3. Wells, H.M., *op. cit.*, p. 89.

Écoutons Francine, mère moderne et ouverte.

L'autre matin, ma fille (douze ans) est partie en classe sans effets scolaires.
N'écoutant que mon dévouement maternel, je décide d'aller rapidement les lui porter. J'arrive à la polyvalente alors qu'ils sont en pause à la cafétéria. Souriante, je m'approche d'elle. Elle est écarlate, me toise de la tête aux pieds et se rue sur moi pour m'enlever du champ de vision de ses copains...
Je n'étais pas maquillée. Je portais des bottes en caoutchouc vert de «fermière». Elle a eu honte de moi, «à mourir», m'a-t-elle dit plus tard.

Voilà. Être le parent d'un jeune «atteint» de puberté est absolument renversant. Il faut être «in», «cool», «straight», «granol», «buzzant», «heavy», «relax», «fresh» et... «BCBG» au moment de son choix.

Consolons-nous! Si on navigue à leur allure, tout en restant capitaine de son propre bateau, la course sera brève. Le rejet des parents par le jeune est momentané et la plupart du temps bien superficiel. Ouf!...

Comment accompagner

Comment se comporter avec notre enfant durant la traversée pubertaire? En étant du voyage.

L'écouter quand il a besoin d'écoute même si le contenu de ce qu'il livre nous gêne ou nous fâche, lui parler quand son oreille est ouverte. Parfois, aller au-devant de ses questions: si vous dites ce qui vous préoccupe, il sera tenté d'en faire autant.

Le soutenir

Lui donner confiance en lui, en elle. S'il souffre d'un handicap (bégaiement, dentition imparfaite, etc.), faites tout votre possible pour corriger cela au plus tôt. Il a un besoin vital de se sentir beau, attirant et attirable. Ne jamais perdre de vue que l'homme ou la femme que vous êtes, votre façon d'appréhender la vie, votre relation au monde qui vous entoure, vos attitudes éclairent l'enfant plus que tous vos discours.

Embellir son jardin

Sans entreprendre une campagne d'embellissement du jardin pubertaire, valorisez les expériences qui sont ou qui seront les siennes.

> *L'écoulement menstruel n'est pas sale; il se compose de sang, d'eau, du détachement de la dentelle utérine. Cela n'est pas une maladie; la fille perd tout au plus une demi-tasse de sang par mois et ce sang se renouvelle. C'est au contraire un signe de santé, un symbole de féminité, un indice que l'organisme fonctionne bien, la manifestation d'une merveilleuse possibilité, celle de mettre un jour un enfant au monde si on le désire.*

J'ai la conviction que présenter la menstruation positivement concourrait à réduire les malaises menstruels de bien des filles.

> *La lubrification vaginale est activée par la poussée hormonale. C'est naturel et propre. Aussi naturel que d'avoir de la salive dans la bouche.*

Ce n'est pas toujours plus rose du côté des garçons. L'éjaculation spontanée est encore liée dans leur esprit à «faire des dégâts». Plusieurs garçons se sentent aux prises avec cette vitalité et se culpabilisent de se masturber. Au fond ils aimeraient bien parler à quelqu'un de ce qui se passe en eux.

> *Un jeune homme me raconte qu'à l'âge de treize ans, aux douches d'un centre sportif, son père avait remarqué qu'il (le fils) avait le bout du gland «écorché».*
> *«Dis donc bonhomme, faudrait pas te masturber (terme poli) avec trop d'enthousiasme, tu vas l'user!» lui avait-il lancé dans un éclat de rire. Le jeune ne l'avait pas trouvé drôle. Il aurait souhaité qu'on le rassure, qu'on lui rappelle que le liquide séminal se renouvelle, qu'on le déculpabilise. Surtout pas se faire dire qu'il allait «l'user», lui qui se tourmentait déjà quant à la taille de son pénis.*

Ce père n'a pas agi à mauvais escient. Sans doute n'avait-il pas appris à parler autrement des choses sexuelles. L'occasion d'un échange valable avec son fils lui a filé entre les doigts. À vrai dire, se taire aurait constitué un moindre mal puisque les remarques amicalement grivoises du père ont résonné aux oreilles du garçon comme une offense plutôt que comme une invitation au dialogue.

L'arrivée de la menstruation est fréquemment l'occasion d'une belle et rassurante complicité mère-fille. La puberté masculine ne pourrait-elle induire un semblable rapprochement père-fils?

La puberté: une fête?

Depuis quelques années, des parents bien intentionnés ont envie de souligner joyeusement l'arrivée de la puberté, d'en faire une fête. Je pense que c'est une belle idée, mais attention, discrétion s'impose. Certaines filles demandent à leur mère de garder le secret sur l'apparition de leurs règles. À respecter.

Une fête, oui, mais intime. Son repas préféré, un objet convoité offert discrètement. Une fête pour son plaisir et non pour le nôtre.

> *Quand ma fille a eu sa première menstruation, j'ai voulu marquer ce moment. Je l'ai donc invitée au restaurant: une crêpe saumon fumé et crème sure, sa folie.*
>
> *Nous bavardions. Moi j'étais si émue. J'avais commis un impair; en entrant, j'avais dit à la restauratrice, que nous connaissions bien, que nous fêtions un événement spécial. À la crêpe dessert, la patronne y avait, croyant bien faire, piqué des feux de Bengale.*
>
> *Horreur! Tous les gens attablés regardaient ma fille croyant que c'était son anniversaire. Elle était cramoisie; elle voulait disparaître sous le plancher. Elle s'est imaginée que tout le monde savait et qu'ils allaient se mettre à chanter «Joyeuses menstruations... Joyeuses menstruations...»*
>
> *Ses yeux me foudroyaient. Je l'avais, pensait-elle, trahie.*

Il est vrai qu'on peut parfois gaffer en voulant bien faire. Nous avons ri, quelques minutes après. Mais je me souviendrai toujours des quelques instants de profonde humiliation que je lui ai fait subir.

Prévention: un bon moment

Le carrefour de la puberté me paraît un lieu propice aux conversations sur la sexualité des plus grands, des adolescents. Quand ils seront en plein dedans, il sera bien tard.

On peut, avec des jeunes de douze ou treize ans, aborder de façon plus impersonnelle la question des MTS et de la contraception. Un bon moment parce que ces réalités sont, pour la plupart d'entre eux, de l'ordre de l'éventualité; elles ne sont pas encore chargées d'émotion.

Lui donner confiance

Dans un autre ordre d'idées, je disais plus tôt qu'il convient, dans certaines circonstances, d'aller au-devant d'eux...

> *Votre fils de douze ou treize ans a les nerfs en boule: vous le sentez. Il est invité à un gros «party» qui aura lieu demain: vous le savez. Il a le béguin pour la petite Nathalie: vous l'avez remarqué. En bien, aidez-le...*
> *«Tu penses à quelqu'un...*
> *— Non.*
> *— (Silence)*
> *— Heu, oui...*
> *— (Silence)*
> *— ... à Nath.*
> *— Et qu'est-ce que tu as fait pour lui faire savoir qu'elle te plaît?*
> *— Bien..., rien. Elle ne me regarde même pas.*
> *— Mais puisqu'elle te plaît, à toi! Essaie au moins de lui parler. Non?...»*

Vous savez, les enfants auront beau recevoir toutes les informations sexologiques à l'école ou dans les livres, il est un type d'assistance que seul un parent peut donner: l'accompagnement personnalisé. Aider nos enfants à grandir, qui peut mieux le faire que nous?

La puberté est un passage vers un nouvel équilibre qui dure plus ou moins longtemps. Une croisée, aussi pour le parent. Il est forcé de mettre de l'ordre dans ce qui est important pour lui: l'essentiel, le secondaire, le futile. Avec l'adolescence qui pointe, l'enjeu est différent, les risques aussi.

❖

Chapitre 7

L'adolescence: de la puberté
à la vingtaine*

Ils nous échappent

*Quand elle avait dix ans, je savais toujours où elle
était... Elle me disait tout. Maintenant, elle a son
monde à elle où je ne suis pas invitée. Elle dit que
je m'inquiète pour rien. Possible mais... je ne la
connais plus. Je ne sais plus comment lui parler.*
*Je ne le vois plus. Bonjour. Bonne nuit. Il ne fait que
passer. La maison est comme un hôtel-restaurant. Je
chiale quand il n'y est pas. Je chiale quand il y est:
sa musique, quel vacarme!*

Le parent-funambule

Les adolescents forment un groupe à part entière. Ils ont
leur propre système de références. Ils sont assis entre deux

---

* Ce chapitre a été partiellement inspiré de *Pour jeunes seulement, photoroman d'éducation à la sexualité*, Robert J., Éd. de l'Homme, 1988
et de *Parent adolescent une relation à inventer*, op. cit.

chaises, attachés aux figures parentales tout en désirant s'en libérer. Ils sollicitent rarement le support dont ils ont besoin. Leur insécurité tranche considérablement sur la nôtre à leur âge: SIDA, situation écologique, guerre des étoiles, redéfinition de la famille, perspectives d'emploi.

Avec l'adolescent, le parent est comme un funambule. Même quand on le voit souffrir, pleurer, planer, ne plus manger... On marche sur le fil qui sépare l'indifférence de l'intrusion.

Vivre avec un adolescent, c'est un jeu subtil de proximité et de distance. Trop de proximité: on finit par ne plus se distinguer soi-même dans ce nez à nez. Trop de distance: pas de vie possible ensemble.

Je n'aime pas la description que font de l'adolescence la plupart des manuels de psychologie et de sexologie: les hormones, les statistiques, la mécanique physiologique. J'en parlerai donc très peu. Ces regards, descriptifs et quantitatifs, abondent et sont utiles. Ils esquivent cependant les questions brûlantes qui sont au cœur du problème.

À quoi ça sert d'aimer?
Pourquoi l'amour fait-il souffrir..., mourir?
Serai-je choisi-e, aimé-e?
Pourquoi dois-je penser à toutes ces choses compli-
quées que je n'ai pas envie de faire?
Pourquoi ne pas faire ce qui me plaît?

Les questions éplucheuses

Les adolescents partagent entre eux certaines interrogations. Rarement avec leurs parents. Ils les déguisent en comportements. Flaireraient-ils qu'elles mettent les parents mal à l'aise? Que ceux-ci n'ont pas toujours envie de les entendre parce qu'elles ouvrent une brèche dans leur propre vie? Qu'elles égratignent quelquefois...

Qu'est-ce qu'aimer, rencontrer, séduire, plaire, être
aimé?...
Quel sens a ma vie?

En épluchant ces questions avec ses parents c'est aussi la vie du parent que l'adolescent épluche. Et il a besoin de voir un projet de vie chez ses parents.

Préalablement à la complète immersion dans ce bain de jouvence, situons le point de départ de la transition adolescente. Elle s'ébauche avec la puberté et s'échelonne jusqu'à la vingtaine. Je ferai généralement référence aux 12-16 ans quand il sera question des jeunes adolescents, et aux 16-20 ans en parlant des grands ados, «vieux» ados ou ados plus âgés. Les vocables adolescence ou adolescents désigneront l'ensemble des jeunes ou, selon le contexte, l'ado d'âge moyen.

De façon générale, les jeunes adolescents sont en plein développement physique, et leurs préoccupations découlent de ces chambardements physiologiques, ainsi que de l'ordre des sensations nouvellement ressenties: *pas assez musclé, seins trop petits ou trop gros, pas assez de barbe, trop de boutons, etc.*

De leur côté les grands ados ont, habituellement, dépassé ce stade. Ils en sont à apprivoiser leurs voies érotiques à deux et, plus globalement, à se saisir eux-mêmes en poursuivant leur découverte de l'autre.

Adolescence comme romance...

Que dit l'adolescent de ses amours?

> *Suis-je belle? Il faut plaire aux garçons.*
> *Est-ce que je suis assez viril? Si je manquais mon coup?*
> *Si je ne «baise» pas, il me laissera tomber.*
> *Si je ne «baise» pas, je passe pour un niaiseux.*
> *Je l'aime à en crever; il n'est sûrement pas à risques...*
> *Elle doit prendre la pilule, j'ai pas besoin de condom.*

Voyons l'histoire d'Élaine, seize ans; elle a des «chums» qui changent tout le temps.

> *«Chaque fois, soupire-t-elle, je crois que c'est parti pour le grand amour, et chaque fois, je me fais avoir.»*
> *Chaque fois aussi, sauf de rares exceptions, elle a des rapports sexuels.*
> *«Les garçons n'attendent que ça. Si tu lui dis non, tu as l'air d'une imbécile et ils partent voir ailleurs.»*
> *Sacrifice?*
> *«Oui et non», avoue-t-elle après une hésitation.*
> *«J'aime bien plaire, et ça me prouve que je ne suis ni plus moche ni plus bête qu'une autre[1].»*

---

1. «Sexualité des jeunes: le silence des parents», in *Famille magazine*, octobre 1988, p. 30.

À force de tenir à nos jeunes des propos hygiéniques, il arrive qu'ils finissent par ne tenir compte que de cela. Leurs véritables besoins se diluent dans un flot de règles à suivre, celles du groupe, de la société, de la famille, de l'école, des campagnes de prévention... Mais, généralement, la vague de l'information ne les atteint pas; elle déferle, à des milles marins de leurs préoccupations profondes. Résultats? Au mieux, une situation comme celle d'Élaine: responsabilité sur le plan hygiénique, mais insatisfaction et désillusion. Au pire? Une adolescente de quatorze ans qui dit qu'*«on ne peut devenir enceinte si on fait l'amour debout»* (cas réel, 1989).

Comme ignorance...

«L'ignorance céleste» des jeunes cœurs amoureux est d'une autre époque. Nous voici à l'ère de l'ignorance savante de jouvenceaux en quête d'amour.

À propos d'ignorance, cela me rappelle une anecdote que m'a racontée mon beau-fils. Cela se passait il y a quelques années, en 4e secondaire.

> *En classe, un prof donne un cours d'éducation sexuelle à vingt-cinq garçons. Il traite de l'anatomie des organes génitaux féminins et énumère les fonctions de chaque organe externe. Arrivé au clitoris, qu'il pointe de sa baguette (non magique) sur la planche anatomique, il se limite à le nommer.*
> *«À quoi ça sert?» demande un élève.*
> *«Ça ne sert à rien!» affirme le «maître».*

Ignorance, incompétence ou mauvaise foi? Peu importe, le mal est fait... La sexualité est encore le seul domaine où l'on pense que l'ignorance est supérieure à la connaissance.

Comme divergence

La publicité ajoute au portrait en vendant l'image de l'adolescent dynamique, sportif, sociable, épanoui, beau, propre, sans complexe et... buveur de bière. Les médias s'en mêlent, brossant le tableau d'un jeune violent, dangereux, qui fait peur, se drogue, «baise» à gauche et à droite.

Le parent est sournoisement invité à voir, derrière son adolescent, un type, un modèle, une marque de bière, une caricature d'être humain.

Où se situe notre adolescent dans cette panoplie d'images?
Que vit-il? Qui est-elle?

Ils se livrent si peu! La tentation est grande de croire que les jeunes sont superinformés. De condamner ou de jalouser la liberté sexuelle qu'on leur imagine. On suppute qu'ils vivent des relations sexuelles sans problème. Il y a loin de la coupe aux lèvres. Oui, ils reçoivent des renseignements sur la contraception, l'anatomie et les MTS... Cela ne suffit pas! Que font-ils avec les autres questions et émotions:

Est-ce que ça durera?
Ça a été un vrai flop!
Je me sens comme une «merde».
Pourquoi suis-je seul ou seule?
Le ou la reverrai-je?

Comme indépendance

Le leitmotiv adolescent: sortir de la maison familiale ou s'emmurer dans sa chambre. Sortir c'est choisir: sa musique, ses copains, ses loisirs, ses études, ses amours, sa solitude.

Avoir son territoire, différent de l'espace familial. Se donner de la place et de l'importance. Tout ce qu'il leur faut dans leur baluchon: quelques «conserves» de sécurité et de confiance. Trop, c'est trop lourd, ça freine!

La pensée magique

La majorité des adolescentes connaissent sur le bout des doigts les moyens de contraception. Elles pourraient donner un cours descriptif sur le sujet. Dans les faits, la plupart d'entre elles ont vécu ou vivront leurs premiers rapports sexuels sans prévenir la grossesse. Même chez les jeunes passablement responsables, la magie du moment l'emporte. Comme si on craignait de rompre le sortilège, le romantisme du moment, en le prévoyant.

Le condom est accessible, publicisé, presque glorifié. Les jeunes reconnaissent son effet contraceptif, savent qu'il protège contre plusieurs MTS, n'ignorent pas que la chlamydia est épidémique dans leur groupe d'âge, connaissent les dangers théoriques du SIDA; dans le feu de l'émotion, ils se comportent comme si tout cela n'était que chimères...

> *Je demandai un jour à un groupe de deux cents élèves d'une polyvalente lesquels d'entre eux ne seraient pas gênés d'acheter des condoms. Une fille a levé la main (sur environ cent cinquante), cinq ou six garçons se sont manifestés (sur une cinquantaine).*

Vous me direz que les autres ont pu être trop timides pour s'afficher sur ce terrain? Le cas échéant, quelles conclusions en tirer?...

Ne nous méprenons pas. Les jeunes ne disent pas:

> *ça n'arrive qu'aux autres,*
> *ça n'arrive pas la première fois,*
> *ça n'arrive pas si on ne jouit pas,*

ils le vivent comme cela. La pluie de nos informations glisse sur le sommet de leur parapluie. Une sorte de déni:

> *si ça arrive comme ça, sans planification, je ne suis pas responsable;*
> *ç'a été plus fort que moi, j'ai perdu la tête...*

Négation de ses besoins, de sa recherche de plaisir. Étonnant? Pas du tout! Quelqu'un leur a-t-il déjà parlé de la liberté d'assumer leurs besoins, de la légitimité du plaisir? Nous y reviendrons à la section sur l'accompagnement.

Vécue par procuration

Une autre caractéristique de la sexualité adolescente, c'est qu'elle est vécue par procuration. Plus souvent qu'autrement elle est décidée par les autres:

> *décidée par le «chum» qu'elle a peur de perdre,*
> *par le groupe, «tous les «chums» l'ont fait»,*
> *par les parents, quand l'interdit est irrésistible. Et vécue pour les autres: pour garder son «chum»,*
> *pour montrer à ses «chums» qu'on n'est pas plus bête,*
> *pour contredire ses parents.*

Plus rarement, on s'y refuse pour faire plaisir à ses parents.

Je remarque aussi que, en dehors des jeunes couples «stables», il est exceptionnel que la sexualité soit vécue «à froid». Le rapport sexuel est parfois improvisé, résultat d'une «fin de party». Deux ou trois bières, deux ou trois joints pour oser s'envoyer en l'air. On la veut «cool», on fait comme si elle l'était et pourtant on se coupe d'elle. On s'engourdit pour se rapprocher, pour partager son intimité...

126

Dépourvue de communication

L'adolescent manifeste une apparente fermeture aux adultes, à l'autorité. Il a peur d'être jugé, rejeté. Il a le sentiment d'être différent. Il veut se détacher, et l'exercice de sa sexualité constitue l'élément le plus important de cette transition, de l'affirmation de son autonomie. Aussi est-il compréhensible qu'il ait envie de garder privés certains aspects de sa vie.

Il est assoiffé de communication. Dans mes rencontres avec les jeunes, je constate que le mot *communication* est omniprésent dans leur discours: un désir, un besoin, un manque, une valeur sûre, un écueil, une panacée, un rêve... Boulimiques de communication, ils sont conscients du fait que leurs relations en sont dépourvues et cherchent comment l'y introduire.

> *Les gars et les filles ne partagent pas les attentes qu'ils ont les uns par rapport aux autres quant aux relations sexuelles et amoureuses;*
> *les gars ne se confient pas aux gars, ils badinent;*
> *les jeunes ne s'ouvrent pas aux adultes, ces derniers n'y comprendraient rien...;*
> *les filles se parlent un peu plus entre elles.*

Le groupe

Puis il y a l'appartenance au groupe qui constitue une autre spécificité de la jeune adolescence. La «gang», pour le meilleur et pour le pire.

Ils se serrent les coudes pour combattre l'oppression sociale, scolaire, parentale. Ils se donnent leur accord à propos de tout et de rien. Dans le domaine des relations garçon-fille, de la sexualité, ils sont peu bavards sauf pour plaisanter.

«Je n'arrive pas à me concentrer, dit Sébastien (quatorze ans).

Je veux bien être calme durant mes cours, je n'y arrive pas.

C'est sûr que je me fais influencer. Je rigole avec les autres.

On se chuchote des balivernes sur les filles...

Et là, je pense à des bêtises... La prof est chouette, je l'imagine toute nue...»

Saison des «premières»

L'adolescence est la saison des amours et des «premières». Avec la poussée pubertaire démarre une succession presque ininterrompue de «premières»: première expérience de plaisir sexuel pour certains, première masturbation pour plusieurs, arrivée au secondaire, au collège pour les plus âgés, première «vraie blonde» ou premier «vrai chum», premier grand amour, première peine d'amour, premier gros «show», première «brosse», première expérience de drogue, premier «bad trip», premier rapport sexuel, premier examen gynécologique, premier emploi, premier permis de conduire, première déception sexuelle, premier droit de vote et, de plus en plus peut-être, première MTS.

Autant de «premières» sans «répétition générale» préalable, avec toutes les anxiétés qui sous-tendent toute première fois.

Telles sont, tirées à grands traits, les figures adolescentes. Bien sûr, tout cela se nuance d'un individu à l'autre; les teintes sont plus vives à quinze ans qu'à dix-huit. La pensée magique perd de son envoûtant plumage avec le temps et surtout avec l'apprentissage.

Tâchons maintenant de voir comment se transposent, dans les besoins, ces particularités de la sexualité adolescente.

128

Besoins et expression

Patrick (dix-huit ans) est aux anges. Il déclare, très fier: «C'est la première fois que je suis amoureux» (...)
«Elle avait déjà été amoureuse, mais jamais comme ça», affirme-t-il, sûr de lui. «Et c'est avec moi qu'elle a fait l'amour!» (...) Ils ont attendu quelques semaines avant de «passer à l'action». De leurs relations sexuelles, ils parlent entre eux uniquement. (...) «Entre copains, on a beau dire, ce n'est pas très facile. Quant aux parents, tout ce qu'on leur demande, c'est d'être assez ouverts pour accepter qu'on soit ensemble.»
Patrick et Julie sont autorisés à passer la nuit chez l'un ou chez l'autre... quand les parents n'y sont pas. Seules les vacances sont l'occasion d'une cohabitation officielle[2].

Que pensent les parents de la vie de couple à temps partiel de leurs adolescents? Se réjouissent-ils de ce noviciat sexuel qui se déroule sous le toit familial? Le tolèrent-ils à contrecœur? Nul ne le sait puisqu'on n'en parle pas.

Priorité du besoin affectif

Les jeunes d'aujourd'hui ne sont pas si enclins à la promiscuité sexuelle qu'on est porté à le croire. En définitive, ils le sont moins que la génération des années 60 et 70. L'aspect affectif de la relation prime et, s'ils paraissent être des «butineurs sexuels», c'est du nectar des sentiments qu'ils s'abreuvent. Ils tentent, parfois désespérément, de combler le vide émotionnel par le langage sexuel.

Très peu d'adolescentes prennent un réel plaisir physique aux rapports sexuels «traditionnels» de pénétration. Les pre-

---

2. *Famille magazine, Op. cit.*, p. 32.

mières expériences coïtales sont souvent le théâtre d'un grand mensonge collectif qui s'amorce: les filles font semblant de jouir, les gars font semblant d'y croire. Au fond d'elles-mêmes, elles savent bien que leur *«vagin n'est pas un écrin féerique, que le pénis n'est pas une baguette magique»*. Mais le modèle sexuel dominant, véhiculé par le cinéma, la porno et les magazines est celui de l'homme qui, d'un coup (ou deux...) de sa «baguette magique», expédie sa dulcinée en orbite. Cliché bien absorbé, à partir duquel garçons et filles cherchent, à travers leurs expériences sexuelles, à se confirmer qu'ils sont de vrais hommes et de vraies femmes en «performant» conformément... au modèle.

> *À longueur d'année, je rencontre des filles de seize, dix-sept ans qui se croient «frigides», des garçons du même âge qui se jugent «pas bons», «pas à la hauteur». Sentiment d'échec, fracture du moi. Pour sauvegarder son identité sexuelle ébranlée, on triche. On calque le stéréotype, si fallacieux soit-il. On ne sait pas qu'il est faussé.*

Les jeunes ont besoin d'informations justes concernant la dynamique érotique des deux sexes. Ils ont besoin d'apprendre à communiquer, à habiter leur désir, à livrer leurs attentes à leur partenaire. Besoin qu'on leur propose d'autres modèles sexuels, réels, basés sur la réciprocité, le consentement véritable, l'honnêteté, et desquels le plaisir ne soit pas exclu.

Comme disait Alexandre: «Moi, j'aimerais bien qu'on se préoccupe de la qualité de ce que je vis et qu'on lâche ma tuyauterie!»

Nous n'en sommes pas là. Une étude américaine[3] effectuée auprès de 160 000 jeunes de 13-15 ans démontrait que, du tiers d'entre eux déjà actifs sexuellement, 71 p. 100 n'avaient

---

3. Planned Parenthood of America, *Comment discuter de sexualité avec votre enfant*, Éd. La Presse, 1988, p. 154.

jamais même discuté de contraception avec leurs parents! Tous souhaitaient que leurs parents soient plus bavards sur la question sexuelle.

Derrière ces besoins, attitudes et comportements des jeunes se dissimulent des valeurs.

Amour et exclusivité sexuelle (eh oui!), communication, et ce que j'appellerais la tolérance. L'**amour**, ou à tout le moins la **tendresse**: pour étancher son besoin d'attention et d'affection. L'**exclusivité sexuelle**, successive, mais non moins exclusive: «le temps que je suis avec quelqu'un, je veux être le seul et l'unique». La **communication**: insaisissable inconnue qu'on revendique. La **tolérance**: sorte de volonté de «vivre et laisser vivre», masquant le danger de tolérer jusqu'à l'intolérable, en l'occurrence le mensonge, la violence, le leurre, présents au sein du groupe.

Si délicat que cela puisse être, il faut reconnaître que ce groupe auquel appartient votre adolescent a de bonnes chances d'avoir adopté, en les adaptant, vos propres valeurs et celles des autres parents. Quand bien même les apparences laissent croire le contraire, ces frontières sont rarement dépassées.

Si vous avez accompagné vos enfants en leur proposant des valeurs sans les contraindre à votre vision du monde, vous pouvez être presque assuré que, à moyen terme, ce sont elles qui l'emporteront. Si vous avez prôné des principes qui détonnent par rapport à vos attitudes et conduites réelles, vous risquez des désillusions.

Les jeunes sont tellement plus conformistes qu'on ne le croit. J'avoue trouver plusieurs d'entre eux plus «vieux» que les hommes et les femmes de ma génération...

Ce ne sont pas des révolutionnaires. Ce sont des «quêteurs» d'amour.

Saurons-nous accorder nos flûtes afin qu'ils ne deviennent pas des mendiants d'amour?

Comment accompagner

J'entends déjà vos cogitations. «Leur intimité est sacrée! Ne pas leur être indifférents ni nous ingérer! Ne pas devenir nous-mêmes des «quêteux» de confidences ni démissionner... Quel contrat!»

Sincèrement, je crois cette approche tout à fait à la mesure de nos moyens, réaliste et réalisable. Elle suppose néanmoins une manière inaccoutumée de donner et d'être; un peu comme dans le vieux proverbe *La façon de donner vaut mieux que ce que l'on donne.*

Nos adolescents auraient le goût, je pense, de nous avoir comme compagnons de promenade sur certains de leurs sentiers. Si seulement nous ne les imaginions pas si tortueux ces sentiers, si seulement nous les laissions marcher dans leurs propres souliers, sans nous mettre dans nos petits souliers...

Pour se parler, il suffit de vivre sur la même planète: regarder la même émission de télévision, lire le même journal, entendre les mêmes potins, avoir vu le même film, partager un repas. Ils n'acquiesceront pas toujours à votre invitation au dialogue. Et puis après? Si vous ne leur offrez jamais la parole, vous n'aboutirez jamais à rien...

Vous avez noté, précédemment, combien ils sont avides de communication. Pourquoi ne pas essayer de témoigner vous-même de cette valeur bénie? Ne serait-ce qu'en leur dévoilant, quand cela est à propos, vos propres difficultés.

> *Tu sais, la vie est compliquée. Depuis ma naissance, on s'est tué à me répéter que les relations sexuelles pour le seul plaisir sont mauvaises. Je suis persuadé du contraire, du moins intellectuellement.*
>
> *Aujourd'hui, je puis me réjouir que tu sois assez libre pour avoir une vie sexuelle personnelle. Mais ne t'attends pas à ce que je sois toujours à l'aise quand j'y penserai[4].*

---

4. Wells, H.M., *op. cit.*, p. 144.

Le modèle porno

Vous rentrez à la maison à l'improviste et vous tom-
bez sur votre fils de quatorze ans en train de vision-
ner un film porno avec des copains. Comment réagis-
sez-vous? Vous criez au scandale et vous vous ruez
sur la manette de commande à distance pour éjecter
la cassette? Vous feignez de n'avoir rien vu même si
les images aperçues vous ont éberlué (ou... excité?)
et vous vous éloignez sur la pointe des pieds? Vous
vous joignez carrément à eux?

Hurler à la honte, c'est donner un coup d'épée dans l'eau. Jouer «l'ange qui passe» ne fait rien progresser. Faire face à la musique en vous invitant au «cinéma», c'est profiter d'une belle occasion pour parler de sexualité sur leur terrain.

Trente pour cent des consommateurs de pornographie sont des adolescents. Les condamner ne règle rien, d'autant plus que c'est, hélas, bien souvent le seul modèle sexuel qui leur soit accessible. Il est beaucoup plus profitable de saisir cette occasion pour leur dire que «dans la vraie vie, c'est pas pareil», que les vraies filles ne tombent pas dans les vapes en regardant les culottes du premier mâle qui passe, que les vrais gars ne sont pas ces détenteurs de pouvoir et de ce «machin surnaturel» qui vient avec, que les êtres humains ne sont pas des machines distributrices d'orgasmes, que c'est une image tronquée et avilissante que projette la porno, etc.

Toutefois, si vous leur tenez un tel discours et que votre adolescent a trouvé des revues pornographiques sous le siège arrière de votre voiture, préparez-vous à lui donner quelques explications!

Les jeunes avalent le message pornographique à un âge où ils sont très malléables. Ils partent de bien bas lorsqu'ils essaient de transférer cette vision de la sexualité à leurs rapports sexuels véritables.

133

Le mythe de la pénétration

Garçons et filles doivent savoir que le septième ciel ne s'ouvre pas comme un cadeau des dieux au moment du rapport sexuel coïtal; que, avant le septième, il y a, en toute logique, six stades à escalader; que si l'amour atteint parfois une sorte de palier stationnaire, il en va de même pour l'excitation sexuelle qui peut, comme un ascenseur, rester coincée entre deux étages; que chaque personne a un rythme qui lui est propre, et que le gars a, bien souvent, atteint le sommet pendant que sa partenaire s'ennuie au sous-sol; qu'il peut être agréable de flâner au deuxième ou de se reposer au troisième, et frustrant pour la fille d'être suspendue au sixième alors que le garçon a déjà dévalé du septième au rez-de-chaussée, vers la sortie.

On ne dit pas assez explicitement aux garçons et aux filles que la configuration de leur réponse sexuelle est à la fois semblable et différente. Que la fille est tout autant capable d'orgasme et de plaisir dans la mesure où le clitoris est adéquatement stimulé; que le contact pénis-vagin sert d'abord la jouissance masculine par la stimulation continue exercée sur le gland...

Ce silence perpétue la simulation chez la fille et alimente le culte de la performance chez le garçon. Il entraîne les jeunes qui, paradoxalement, vénèrent la franche communication, à s'offrir des «spectacles». Il tue dans l'œuf un possible et réel dialogue.

De plus, ce silence nourrit la croyance qu'il n'y a pas de «vrais» rapports sexuels sans pénétration. Malgré la révolution sexuelle et les mouvements féministes, on persiste à justifier l'acte sexuel dans une perspective (rétrospective?) historique et culturelle de reproduction. C'est pourtant le secret de Polichinelle que faire l'amour, c'est aussi et surtout autre chose. Soyons cohérents: combien de rapports sexuels, dans votre vie, ont mené à la procréation? L'expression sexuelle et affective est un langage: de tendresse, de désir, de plaisir; un jeu de séduction, une recherche, un rapprochement.

134

Si on sensibilisait les adolescents à cette dimension plus large des relations homme-femme, les rapports sexuels sans pénétration pourraient devenir une voie intéressante à la découverte de nouveaux plaisirs et, qui plus est, une solution de rechange non négligeable à la contraception et à la prévention des MTS[5].

Bien accompagner nos jeunes, à ce chapitre, serait les amener à désirer la pénétration plutôt qu'à la subir! Pas mal, non?

Et encore de l'amour...

Dans le passé, être amoureux était permis et faire l'amour, interdit. Il y a une vingtaine d'années, on faisait l'amour sans amour... pour ne pas faire la guerre. Aujourd'hui, les jeunes veulent tout: faire l'amour et être amoureux. Le meilleur de tous les mondes. Peut-on les blâmer?

Mais, à force de faire l'amour pour trouver l'amour, ou de tomber amoureux pour se justifier de le faire, ils finissent par s'écorcher un peu le cœur.

Que peuvent faire les parents pour être «aidants» sur ce plan? Peu et beaucoup. Leur faire confiance, les aimer. On dit qu'il faut s'aimer soi-même pour pouvoir aimer. Peut-être; j'ai le sentiment qu'il faut, avant tout, avoir été aimé.

On ne peut faire tellement plus. Être soi-même, avec sa propre capacité d'aimer, ses propres difficultés à aimer. Et l'amour ne tolère pas tout. Il faut le dire à ses adolescents et, mieux, en témoigner.

J'ai connu quantité de jeunes qui, à quinze ou seize ans, ne s'entendent jamais dire des mots tendres venant de leur partenaire «prétendument» amoureux. Beaucoup se font ravaler, qualifier d'«épaisse», de

5. «Amour et sexualité», entrevue avec Danielle Champagne, sexologue, in *Chantiers en mouvement*, vol. 2, n° 4, 1989, p. 20.

*«niaiseux» à longueur de temps. Rien de gratifiant,
de grandissant ou d'érotisant dans ces rapports.*
*Une dépendance, déjà. La violence n'est pas seu-
lement physique; les mots détruisent sournoisement.*

L'amour est une belle et grande valeur que la plupart des
parents veulent transmettre, que plusieurs associent intrinsèquement à la sexualité, au couple stable. Surgit un malaise
quand ils voient leur jeune vivre sa sexualité sans cet engagement amoureux.

Il n'est pas de mon ressort de départager amour, sexualité
et engagement. Tout au plus puis-je avancer qu'un regard
honnête s'impose. Combien de femmes ont cessé d'aimer leur
mari et continuent de faire l'amour avec lui? Combien de maris
ont cessé d'être amoureux de leur femme et lui restent
sexuellement attachés et attentifs?

Un contexte de vie qui réunisse amour, engagement et
sexualité épanouie: tous en rêvent, sans nécessairement y
accéder.

Et chacune de ces expériences humaines, prise séparément, comporte son potentiel de croissance et de satisfaction.

Sous le toit familial

Il est aussi une question que tous les parents se posent:
faut-il ou non autoriser son fils ou sa fille à accueillir le petit
ami ou la petite amie dans sa chambre?

C'est à vous qu'il appartient d'en décider, selon vos
normes. Si vous l'interdisez, tout en sachant qu'ils se payent
le motel une fois par semaine avec l'argent de poche que vous
lui donnez, expliquez-lui pourquoi vous êtes incapable
d'accéder à cette demande.

Si vous avez peur d'être jugé par les voisins, les parents,
les amis, dites-le-lui. Ces jugements comptent pour vous et
vous dérangent, c'est votre droit. Ce faisant, vous avez le mé-

rite de ne pas faire semblant d'ignorer à quoi leur sert la voiture les fins de semaine.

Entre interdire l'entrée de la petite amie ou du petit ami et servir le petit déjeuner au lit au jeune couple, il y a une marge. À vous de la définir.

La confiance

Pour le reste, faites-leur confiance. Permettez-leur de trouver leurs propres réponses en vous octroyant le droit de les aider dans cette démarche. Soyez attentif au contenu de vos messages à propos de la sexualité. Ces dernières années, sans trop nous en rendre compte, nous projetons un double message. Nous disons aux jeunes que la sexualité est source de croissance, de mieux-être et nous leur parlons constamment des méfaits, malheurs et dangers qui y sont reliés.

Tiens, j'oubliais. Il y a aussi les MTS et la contraception. Vous constatez que votre fils ou votre fille est dans une passade de «butinage» sexuel mais vous savez par ailleurs qu'il ou elle est au courant de tous les risques possibles de contracter une MTS; ne lui faites donc pas un autre discours sur le sujet. Mettez plutôt une belle boîte de condoms au réfrigérateur, tout près de ses aliments préférés.

L'ouverture se mesure aussi aux gestes.

Pour ce qui est de la contraception, la plupart des filles connaissent tous les moyens, théoriquement. Ne vous contentez pas de dire à la vôtre: «Fais attention, prends la pilule.» Elle va finir par se croire immunisée contre tout, même contre les MTS, avec cette pilule. D'autre part, ce message peut aussi être entendu par l'adolescente comme étant: «Maintenant, fais ce que tu veux, tu ne risques rien, ça m'est égal.» Et bien sûr, ce n'est pas du tout ce que vous pensez. Alors, ce que vous pensez, dites-le simplement.

La parole du cœur vaut mieux que bien des silences, et je sais pertinemment que le silence des parents a été la cause de bien des grossesses.

La responsabilité conjointe de la contraception, cela se discute aussi entre un père et un fils, quand bien même le fils dépasserait le père d'une demi-tête.

C'est une lapalissade de dire que la répression sexuelle a été la cause de bien des malheurs. C'est encore vrai aujourd'hui. Elle est encore bien présente sous le déguisement d'une permissivité de façade; elle vit à travers le silence.

Toujours la confiance

Un jour, une amie me raconte l'émoi qu'elle a ressenti lorsque sa fille de treize ans est rentrée à la maison sur une moto avec son cavalier qui en avait dix-sept mais qui en paraissait trente-cinq. Quant à la fillette, elle en paraissait seize et pensait qu'elle en avait trente.

Les parents étaient consternés. Leur petite fille avec ce tatoué!

Leur première réaction fut bien sûr d'éloigner ce monstre de leur enfant, de la sermonner, de la cloîtrer pour la protéger. Mais... la mère se ravise et invite Antoine (le tatoué) à dîner. Surprise! La fille est tout heureuse, le gars se défile...

Ils se revoient et Antoine revient quelques jours plus tard...

La mère finit par convaincre le père qu'Antoine est émouvant et inoffensif. Elle suggère que, au lieu de les empêcher de se voir, ils fassent confiance à leur fille et même à Antoine.

Elle pense: «Si je lui fais confiance, il ne me trompera pas.»

Et elle a visé juste. Personne avant n'avait jamais fait confiance à Antoine. Antoine a même parlé, prononcé des mots, ce qui lui arrivait rarement. «Avec moi, soyez sans crainte, personne ne touchera à un cheveu de France, pas même moi», avait-il dit à la mère, en l'absence du père.

Le duo Antoine-France a duré le temps des roses. La petite le trouvait «plate».

Bon. Vous allez dire que je charrie, qu'on ne peut toujours faire confiance comme ça. Je suis absolument d'accord. Ce que je dis et tente d'illustrer par ce récit, c'est que parfois on n'a pas d'autre solution; faire confiance peut être le moindre des risques encourus. Connaissant la fillette, je suis certaine que les parents auraient couru à la catastrophe s'ils avaient réagi en démolissant psychologiquement Antoine aux yeux de leur fille et en brimant leur amitié. Je suis même tentée de croire que, en agissant ainsi, ils auraient vraisemblablement provoqué une série de comportements réactionnels, qui n'ont pas eu lieu parce qu'on ne leur a pas fourni matière à réagir.

La mère, dans ce cas, a fait confiance à sa fille, à qui elle avait donné le meilleur d'elle-même depuis toujours, et à l'être humain qui se cachait derrière les muscles et les tatouages d'Antoine. Elle n'a pas joué de jeu, elle s'est vraiment laissée attendrir. Et la fille a été touchée par cette ouverture, cette sincérité.

Depuis cet épisode, déterminant selon la mère, la fille a maintenant confiance en la mère...

L'inconvénient au modèle d'éducation sexuelle que je vous propose est le suivant: à mesure que des relations franches et ouvertes s'installent, les jeunes se racontent beaucoup. Trop peut-être pour votre confort personnel!

L'âge adulte, c'est pour quand?

Enfin, quand donc nos enfants sont-ils des adultes?

Le cap fatidique du saut chez les «grandes personnes» est-il dix-huit ans? vingt et un ans?... Je n'en sais rien. Le stade adulte n'a rien à voir avec un état fini, stable, rigide et ennuyeux.

Le tournant adulte, c'est là où la vie prend un sens, avec plaisir, intérêt et responsabilité. C'est le moment où on peut

139

vivre seul, s'assumer, créer des liens, des ententes, des colla-
borations. Le moment où on a une place, la sienne; quand on
sait que les choses prennent du temps à se faire, que la vérité
est bien relative, qu'elle émerge souvent des erreurs que l'on
fait.

On peut être adolescent à quarante ans, fillette à trente-
cinq. On peut être vieux et usé à seize ans. Il m'arrive de croi-
ser des couples de cet âge qui se sont formés à treize ou quatorze ans, qui vivent des problèmes d'adultes sans en être:
des problèmes d'études, d'argent, de «couple», de travail, de
boisson, de solitude à deux, parfois à trois, de violence conjugale... Ils ont aliéné leur droit d'être adolescents, de vivre leur
adolescence. Ils y reviendront bien, tôt ou tard.

Souhaitons-nous la patience de voguer avec nos jeunes sur
ce fleuve au long cours, sans brûler d'étapes, à leur rythme. Ne
pas les tirer vers l'arrière; ne pas les pousser vers l'avant.
Laisser les eaux, même troubles, suivre leur cours.

Je voudrais boucler ce chapitre sur l'accompagnement des
adolescents en leur cédant la parole. Au printemps 1988, lors
du lancement du volume *Pour jeunes seulement,* produit en
collaboration avec neuf adolescents, on les avait invités à pro-
noncer un petit topo. Ils ont choisi de le faire en chanson, sur
une musique de Claude Dubois. Voici un extrait du message
qu'ils ont livré aux quelque cinq cents personnes présentes,
parmi lesquelles se trouvaient leurs propres parents, professeurs, etc.

Que voulez-vous qu'les jeunes vous disent
Sexualité, on est concernés
Que voulez-vous qu'les jeunes en pensent:
SIDA, MTS, ça fait mal aux fesses
Que voulez-vous qu'les jeunes ressentent
En cherchant l'amour dans un vrai labyrinthe de dé-
tours

On pourrait vous dire: «Voyons donc j'sais tout ça
Occupe-toi de tes oignons

Laisse vivre ton grand garçon»
On pourrait vous dire: «Arrêtez vos chansons
Bibites, contraception, on connaît la leçon»

On voudrait vous dire: «Parlez-nous d'la beauté
C'est pas toujours tout croche la sexualité»
On voudrait vous dire: «Parlez-nous du désir
Parlez-nous du plaisir avec un vrai sourire» ...

Leur donner la parole et
entendre cette parole...

Une dernière petite suggestion avant d'aller fureter dans le classeur des dossiers chauds. Auprès de votre enfant, qu'il ait quatre, dix ou seize ans, lorsque vous ne savez vraiment plus comment faire, demandez-le-lui.

Qu'est-ce que tu ferais, toi, si tu étais à ma place
pour te venir en aide?

Vous serez étonné, presque toujours il vous donnera la réponse. Cette formule, je l'ai maintes fois mise à l'épreuve et proposée. Jamais on ne m'a rapporté que les enfants ont fourni une réponse «farfelue» (bien que cela soit théoriquement possible). Renversante, souvent...

141

Un père relate une violente discussion avec son fils de treize ans. Ce dernier s'en allait à une soirée et discutait pour rentrer à l'heure de son choix. Le père s'obstinait à lui fixer une heure de retour. Il finit par lui demander:
«Et si c'était toi le père, que dirais-tu à ton fils?
— Moi, être le père, j'empêcherais mon fils d'aller à ce «party»!»
Estomaqué, le père suivit cette consigne sans trop savoir pourquoi. Au cours de la soirée, son fils lui confia qu'au fond il n'avait pas envie de cette sortie; il se sentait obligé d'y aller. S'il fallait en plus qu'il rentre à minuit comme un bébé (aux yeux des autres), c'en était trop.

À treize ans, c'est dur de dire non aux copains. Presque infaisable. Mais leur dire: «Pas de chance, mon père m'oblige à étudier ce soir», on n'y peut rien, et on reste, aux yeux du clan, solidaire...

Suivez *leur* piste. Chacun porte en soi ses propres réponses.

TROISIÈME PARTIE

❖

Dossiers chauds

Le plaisir est un chant de liberté mais il n'est pas la liberté.
Il est une profondeur appelant un sommet mais il n'est ni l'abîme ni le faîte. Il est le prisonnier prenant son essor mais il n'est pas l'espace qui l'enveloppe.

Parmi vos jeunes, certains recherchent le plaisir comme s'il était tout, et ils sont jugés et châtiés.
N'avez-vous pas entendu parler de l'homme qui creusait la terre à la recherche de racines et qui découvrit un trésor?

Et il en est parmi vous qui ne sont ni jeunes pour chercher ni vieux pour se souvenir; et dans leur peur de la recherche et de la souvenance ils fuient tout plaisir.
Mais en leur renoncement même est leur plaisir...

Souvent, en vous refusant le plaisir vous ne faites qu'accumuler le désir dans les replis de votre être.
Et votre corps est la harpe de votre âme.
Et il vous appartient d'en tirer musique douce ou son confus.

Gibran, K., *Le Prophète*, 1923,
«Propos sur le plaisir».

La dernière division de ce livre apportera un complément d'information sur des questions particulièrement troublantes pour une majorité de parents.

La plupart des thèmes qui suivent ont été préalablement intégrés en fonction des stades du développement de l'enfant de zéro à vingt ans (auto-érotisme, premier rapport sexuel, plaisir, prévention des abus, des MTS, des grossesses, nudité, pornographie, etc.). Ils sont ici remis sur le tapis dans un tour d'horizon élargi.

D'autres idées ont été effleurées au fil des pages précédentes (concept de normalité, inceste, homosexualité, responsabilité des parents en matière de communication sur la sexualité, etc.) et sont reprises distinctement.

Enfin, quelques sujets brûlants non traités jusqu'ici sont abordés (traumatismes sexuels, phémonène monoparental et éducation sexuelle).

Je suis bien consciente que chacun des sujets annoncés pourrait à lui seul faire l'objet de tout un livre. Le regard posé s'y attardera dans les limites du présent ouvrage: resituer la sexualité dans un contexte global de «beau temps», susciter chez le parent une réflexion personnelle quant à ses attitudes intérieures et à sa façon de manœuvrer face aux dossiers chauds et aux situations particulières qui le touchent ou le concernent.

❖

Chapitre 8

❖

Les tabous sexuels

Le mot «tabou» signifie «système d'interdictions appliquées à ce qui est considéré comme sacré ou impur. C'est ce sur quoi on fait silence, par crainte ou par pudeur.» (*Petit Robert*)

Depuis toujours, le fait sexuel a été marqué du sceau du tabou, à des degrés divers selon les époques, les sociétés et les cultures. Les tabous tirent leur origine de l'intériorisation des conceptions religieuses, sociales, biologiques, culturelles, etc., de la normalité. Par exemple, la sexualité a été, historiquement, perçue dans sa fonction de reproduction de l'espèce. À partir de là, toute expression sexuelle ne visant pas la procréation était assujettie à l'interdit.

Encore de nos jours, la sexualité de l'enfant et de la personne âgée, l'homosexualité et l'auto-érotisme sont fortement tabouisés. Comme par hasard, ces différentes expressions de la sexualité ne peuvent mener à la reproduction! Un pas de chat et on les taxerait d'anormales…

La normalité avec un grand N

«Suis-je normal?» C'est la question que se pose tôt ou tard chaque adolescent. Normal par rapport à quoi, à qui?

À quel âge est-il normal qu'ils aient leur premier rapport sexuel?
Est-il normal qu'elle se caresse?
Est-il normal qu'il joue avec une poupée?

Toute rencontre avec des groupes de parents se termine par une période de questions qui tournent autour de la «normalité». La normalité avec un grand N n'existe pas. Selon les lunettes que l'on chausse on parlera d'une normalité biologique, médicale, sociologique, culturelle, statistique, etc.

Statuer sur la normalité est un exercice dangereux. Exemple:

- statistiquement, une personne sur dix est gauchère;
- suivant ce constat, les gauchers ne sont pas «normaux» puisqu'ils sont en dehors des normes statistiques;
- Tibo, l'illustrateur de ce livre, est gaucher;
- Tibo serait-il anormal?

Selon moi, en sexualité, est normal ce qui est moral, et sont moraux les comportements et attitudes sexuels fondés sur les concepts de respect et de consentement. Si notre vision de la sexualité était morale plutôt que normative, et fondée sur des critères humanistes plutôt que culturels ou biologiques, on ne saurait que s'ouvrir à une véritable reconnaissance du droit à la différence.

La grille socio-culturelle et médiatique de la norme sexuelle est parcimonieuse: seuls les hétéros, beaux, jeunes, musclés, riches et bronzés y ont leur place; quelques élus...

L'auto-érotisme

L'auto-érotisme recouvre l'ensemble des conduites et pensées visant à se faire plaisir à soi-même. L'érotisme dépasse la sphère génitale et sollicite la participation de tous les sens. Se glisser dans un bain moussant peut érotiser sans mener à l'activité sexuelle. Beaucoup de personnes ont des fantasmes érotiques sans connotation génitale: fantasmes de type romantique ou esthétique non moins excitants et agréables. Question de décodage et de structure personnelle.

L'imaginaire érotique grandit et s'enrichit avec l'accumulation des expériences. Néanmoins, les jeunes ont aussi des fantasmes: ils imaginent un rapprochement sexuel avec une personne jugée «désirable», une relation affective dans un cadre romantique, se voient irrésistibles pour un partenaire inaccessible...

On peut apprendre, à travers ses fantasmes, à moduler son désir, à le gérer. Le fantasme sexuel, en termes simples, c'est ce qu'on appelait autrefois une «mauvaise pensée». Il exprime l'intérêt sexuel, suscite et alimente le désir.

Masturbation ou autostimulation représente une seule et même entité.

Il s'agit là de l'un des tabous les plus solides prévalant encore dans le domaine de la sexualité.

> *Présente depuis la petite enfance, cette pratique peut devenir plus fréquente avec la puberté et l'apport hormonal qui l'accompagne. La connaissance de soi passe par la connaissance de son corps, et le corps inclut les organes génitaux. Apprendre à connaître son fonctionnement, à être conscient de ses besoins, à se rendre responsable de ses plaisirs, à sortir des comportements de passivité (pour la fille surtout) fait partie de la démarche globale d'autonomie. L'auto-érotisme, même s'il renvoie l'individu à lui-même, est souvent vécu comme une recherche d'autrui.*

Le levier de la jouissance se situe autant, sinon plus, dans cette recherche de l'autre que dans le geste posé, et la masturbation peut constituer une sorte d'apprentissage de son potentiel sexuel.

On n'est pas anormal si on se masturbe.
On n'est pas anormal si on ne se masturbe pas.

L'important, c'est que le jeune se sente bien dans ses choix et dans ses gestes sexuels.

La plupart des parents ont d'énormes difficultés à parler de ce sujet.

En définitive, il y a peu à dire. Quand vous penserez que votre enfant se masturbe, faites-lui savoir que presque tous les autres en font autant. En effet, les recherches démontrent que 90 p. 100 des jeunes se sont adonnés à la masturbation avant vingt et un ans.

Autre chose, chez la fille, la masturbation réduit les crampes menstruelles. Elle soulage la tension sexuelle pouvant conduire à des rapports sexuels prématurés; elle ne comporte aucun risque. Avec le SIDA et les MTS, il faut s'attendre à une montée de sa popularité.

Je sais à quel point l'autostimulation des enfants tracasse les parents; rappelons qu'elle devient inquiétante quand:

* elle se substitue aux autres jeux et intérêts habituels;
* elle s'exerce dans des lieux inadéquats (école, centre commercial);
* elle conduit à la douleur physique.

Encore une fois, l'excès est alors un symptôme et non la maladie même. Signe d'un problème d'ordre affectif ou autre; à élucider.

Si le pied gauche était tabou

Depuis la naissance de Lisa, sa maman, son papa, tout le monde s'accordait à reconnaître que toutes les parties de son petit corps étaient très belles. Sauf bien sûr, son pied gauche... Les pieds gauches étaient tabous. À tout bout de champ, on empêchait Lisa de regarder, de montrer ou de toucher son pied gauche. Si elle faisait mine d'y toucher, sa maman disait: «Non!» ou son père l'envoyait jouer avec sa poupée.

Il arrivait qu'il fût particulièrement difficile de cacher le pied. En prenant son bain ou quand elle restait dormir chez une petite copine.

Mais les années s'écoulèrent et, la plupart du temps, le secret était bien gardé. Lisa grandissait.

À dix-huit ans, Lisa apprit qu'elle était une femme et pouvait désormais faire tout ce qui lui plairait. Comme elle était très courageuse, elle décida: «Je vais démailloter mon pied gauche et je vais m'en servir!»

Hélas! Lisa boita toute sa vie[1].

L'homosexualité

Environ une personne sur dix est gauchère. Elle s'oriente dans l'espace à partir de la gauche plutôt que de la droite. Environ une personne sur dix est homosexuelle. Elle a une orientation sexuelle différente de ceux et celles dont l'attirance est hétérosexuelle. Les gauchers ne sont pas anormaux; les homosexuels le seraient-ils?

L'être humain, homme ou femme, est un alliage mystérieux de féminin et de masculin, diversement dosé d'une personne à l'autre. C'est ce qui nuance, enrichit, rend unique chaque personnalité. La nature humaine présente une pluralité d'expressions, d'activités, de manières d'être, d'orientations, de pensées, et c'est ce qui fait son originalité.

Quelles sont les causes de l'homosexualité, si cause il y a? Personne n'en sait strictement rien. Aucune étude ou recherche n'a pu apporter de conclusions là-dessus. Des hypothèses, juste des hypothèses... Échafauder des hypothèses,

---

1. Inspiré et adapté d'un texte de Wells, H.M., *op. cit.*, p. 75.

151

c'est comme hypothéquer des échafaudages: aussi comique. Vous êtes-vous déjà demandé pourquoi vous étiez hétérosexuel? Le milieu, la famille, le modèle, l'influence culturelle, l'éducation peut-être...? Tout cela réuni a fait de vous un homme ou une femme sexuellement attiré par l'autre sexe. Les mêmes facteurs dans un même contexte ont pu conditionner une autre personne à tendre vers celles de son sexe.

Moi, je suis hétérosexuelle et, en toute honnêteté, je ne sais pas pourquoi. Je sais seulement que c'est ainsi, que c'est fort, plus fort que ma volonté. Alors, je suppose qu'il en va de même pour l'homosexualité...

Il fut un temps où on tentait désespérément, à coups de baguette sur les doigts, de transformer les gauchers en droitiers. On ne réussissait qu'à les pervertir, à faire d'eux des ambidextres mésadaptés. Longtemps, des thérapeutes prosélytes ont travaillé à la conversion des homosexuels. Inutile. Aussi contre nature que de tenter de devenir gaucher quand on est droitier. Les batailles théoriques sur le caractère inné ou acquis de l'orientation sexuelle ont peut-être quelque intérêt scientifique. Elles ne rendent pas les gens plus heureux, ni plus vivable le monde dans lequel nous vivons. Elles ne bonifient pas l'humanité.

Combien de fois ai-je senti chez les parents la hantise de l'homosexualité? «Que pouvons-nous faire pour conjurer l'homosexualité?» demandent-ils subtilement. À ma connaissance, aucune méthode éducative ou thérapeutique, aucune incantation ou pratique magique ne peut détourner un être humain de son orientation sexuelle. Nous ne pouvons que nous employer à conjurer nos phobies, à écarter de nos attitudes celles qui freinent l'acceptation, l'accomplissement, l'aptitude au bonheur.

La seule chose à faire, c'est de laisser l'enfant se développer naturellement sans le contraindre à entrer dans des rôles sexuels préconçus.

Laissez votre fils serrer une poupée sur son cœur en chantonnant «comme une fille» si cela lui fait plaisir. Si vous réprimandez votre fille qui s'est battue, dites-lui que c'est la vio-

lence qui est inacceptable et non pas le fait qu'une fille se cha-
maille. Ne vous moquez pas de votre petit qui joue à la ma-
relle avec les fillettes ou de votre adolescent parce qu'il lit de
la poésie. Ne dénigrez pas votre adolescente si elle ne correspond pas aux modèles féminins des magazines de mode.

Il n'y a là ni symptôme ni source d'homosexualité ou
d'hétérosexualité. Et pleurer, souvenez-vous-en, est une caractéristique typiquement humaine. Il n'y a que les animaux
qui ne peuvent verser de larmes. (Peut-être le feraient-ils
bien spontanément si leur physiologie le leur permettait.)

L'orientation sexuelle se précise souvent à l'adolescence.
Quand vous aurez acquis la certitude que votre enfant est ho-
mosexuel, quand vous aurez observé chez lui ou chez elle un
intérêt prolongé pour les gens de son sexe, vous serez placé
devant une alternative: l'exclure, le rejeter et vous rendre malheureux, vous et lui, ou l'accepter tel qu'il est.

Il n'y a pas de troisième voie!

Le plaisir

Pourquoi revenir sur le plaisir au chapitre des tabous?
Parce qu'il est suspect.

La très vaste majorité des gens ont une vie sexuelle pour
le plaisir et la satisfaction qu'ils y trouvent tout en continuant
de désavouer cette valeur. Dans tous les milieux où j'ai eu à
recueillir des renseignements afin d'en situer les valeurs
sexuelles, le plaisir se classait bon dernier, quand seulement
il prenait place dans l'échelle des valeurs. Plus souvent
qu'autrement, il était joyeusement ignoré, absent.

Si la sexualité des enfants, des personnes âgées, si
l'homosexualité et les activités auto-érotiques sont encore si
tabou parce que non liées à la reproduction, force nous est de
reconnaître qu'elles suscitent la désapprobation sociale en
raison de leur unique fonction de plaisir.

La difficulté que l'on éprouve à accueillir le plaisir comme
valeur ne viendrait-elle pas du sens étroit accordé à ce mot?

Le plaisir n'est-il pas restreint, dans l'esprit, à la jouissance physique génitale? Oublions-nous que le plaisir, c'est toute une expérience de croissance personnelle et de communication liée au langage sexuel qui participe au développement global de l'individu?

Chez l'enfant, c'est l'éducation au plaisir qui donne un sens au fait de grandir. L'orientation principale de la vie est d'aller vers le plaisir et de repousser la douleur. C'est pour ainsi dire biologique parce que, situé sur le plan du corps, le plaisir développe le bien-être et la vie de l'organisme. Le parent est pour le bébé une source de plaisir qui le maintient en vie en comblant ses besoins de nourriture, ses besoins sensoriels et affectifs.

L'enfant qui grandit entouré d'adultes qui prennent plaisir à vivre et à exercer harmonieusement les activités vitales propres aux êtres humains se branche solidement sur la vie et *pour* la vie.

> *Plaisir au sens d'une jouissance de plus en plus humanisée, de plus en plus partagée avec les autres êtres humains. (...)*
> *La jouissance physique se situe à une place qui est sans cesse mutante, de palier en palier! Car si le plaisir se répétait, toujours le même, cela deviendrait l'équivalent d'un besoin[2].*

La réponse au besoin satisfait le corps; la communication avec l'autre satisfait l'être humain qui a le don extraordinaire de créer par le langage: langage verbal, gestuel, tactile, visuel, auditif, etc.

> *Tout ce qui permet de ne pas se sentir seul en découvrant et en sentant la façon dont un autre appréhende le monde et dissipe ses angoisses...[3]*

2. Dolto, F., *op. cit.*, p. 94.
3. Dolto, F., *op. cit.*, p. 95.

154

Les principaux désordres adultes découlent d'une incapacité de ressentir le plaisir. Les psychiatres et thérapeutes qui tentent d'aider des personnes dépressives, frustrées et insatisfaites de l'existence sont impuissants à éliminer ces souffrances s'ils ne s'attellent pas d'abord à restaurer chez ces personnes l'aptitude au plaisir.

«Inconscience!» dites-vous. «Peut-on, à l'heure du SIDA, tenir à nos enfants et adolescents des propos sur le plaisir?» Bien sûr et à plus forte raison. Le mouvement vers le plaisir est aussi un mouvement vers la vie à protéger. Nous resterons coincés dans un cul-de-sac éducatif, en matière de sexualité, aussi longtemps que nous ne déciderons pas de revenir sur nos pas pour mieux repartir. Ce qui est paradoxal, c'est de parler du plaisir pour la première fois à l'heure du SIDA. Inconcevable, le fait qu'on l'ait muselé aussi longtemps!

Lors d'un sondage[4] mené en France en 1989, on a posé la question suivante à quatre cents jeunes de quinze à vingt ans: «Lorsque vous êtes amoureux, pensez-vous ou non au SIDA?» Cinquante-neuf pour cent ont répondu par la négative.

Provocation de leur part? Ils se croient invincibles? Peut-être en ont-ils simplement assez d'en entendre parler, ciblés comme ils le sont par toutes les campagnes de prévention. L'épouvantail de la sexualité qui leur est brandi est déjà bien menaçant, pourquoi ne pas laisser sa place au plaisir comme à la prudence dans l'image que nous leur projetons?

Plaisir de donner et de recevoir. Plaisir qui passe, chez les jeunes, par l'attention à l'autre, et qui constitue déjà une forme de respect et un pas vers la maturité et la responsabilité. Plaisir et satisfaction de ne pas se laisser paralyser par la peur d'être pleinement vivant.

Il faut oser se demander si nos propres préjugés ne constitueraient pas le handicap majeur entravant le processus de prise en charge de leur sexualité par nos jeunes.

❖

4. *Famille magazine, op. cit.*, p. 30. Ces résultats sont comparables aux attitudes des jeunes Québécois.

Chapitre 9

❖

L'exploitation sexuelle

L'exploitation sexuelle coiffe différentes formes de comportements abusifs contraires à la dignité humaine.

Harcèlements, agressions, abus, inceste, prostitution, pornographie et violence conjugale sont autant de visages de l'exploitation sexuelle.

Nous traiterons ici des formes d'exploitation concernant directement l'enfance et l'adolescence dans le but d'aider les parents à mieux accompagner leurs enfants en matière d'éducation sexuelle.

L'inceste

Un mot qui fait froid dans le dos. On a mis longtemps à le voir, à le reconnaître. Il dérange. Un mot qui laisse dans son sillage un arrière-goût amer, une impression gluante de gestes coupables et traumatisants.

Les spécialistes[1] de la protection de la jeunesse estiment que 50 p. 100

_____

1. Planned Parenthood..., *op. cit.*, p. 175.

des cas de délits sexuels perpétrés sur les enfants surviennent à l'intérieur de la famille. Bien que le nombre de cas d'inceste dévoilés augmente dramatiquement*, l'acte incestueux reste le fait d'une minorité de familles, le fait de parents, de pères surtout, malades et à l'esprit dérangé. Le geste incestueux indique toujours, à mon sens, une grave défaillance psychologique, un dérèglement d'adultes dont les enfants sont les victimes. L'inceste est un phénomène qui existe depuis toujours; on le retrouve dans toutes les couches socio-économiques et il y a une nette prédominance de cas d'inceste impliquant un père et sa fille.

D'après le sociologue américain David Finkelhor, une fille sur cinq a été l'objet de sévices sexuels au foyer avant d'avoir atteint 18 ans[2]. Des études effectuées par le Comité de la protection de la jeunesse révèlent que des enfants de tous âges sont victimes d'inceste, y compris des bébés, bien que l'âge moyen des victimes de l'inceste soit d'environ 10 ans[3].

Certaines manifestations physiques et comportementales peuvent nous permettre de soupçonner la présence d'activités sexuelles précoces et malsaines: douleurs et infections génitales, MTS, énurésie, fugues, actes de délinquance graves, menaces de suicide, prostitution, intérêt inhabituel ou disproportionné pour les réalités sexuelles.

C'est quand se manifestent les signes avant-coureurs, les prémisses symptomatiques, l'attrait pour l'enfant, si inoffensive que puisse sembler au parent cette inclination, que celui-ci devrait réagir en allant sans tarder se faire soigner!

Je m'étonne que la société n'ait pas encore instauré des programmes de prévention des comportements incestueux destinés aux adultes! On fait de la prévention auprès des en-

---

* Le Comité de la protection de la jeunesse étudierait entre 500 et 1000 cas rapportés chaque année au Québec. Source: *L'Alliance, op. cit.,* p. 25.

2. Finkelhor D, «*Sexually*» *Victimised Children*, The Press, N.Y., 1979.

3. Comité de la protection de la jeunesse, *L'inceste, une histoire à 3 et plus*, Mtl., 1982.

158

fants, victimes virtuelles, mais aucune prophylaxie de la
«maladie» auprès des «incestueux» potentiels et de leurs
conjointes.

La peur de l'inceste n'est pas l'inceste

*Au terme d'une conférence que je donnais à un
groupe de parents sur la sexualité des enfants, un
homme insiste, troublé, pour que je lui accorde quelques minutes. Il me raconte que sa fille de neuf ans
vient parfois les rejoindre au lit le samedi matin et
qu'il n'y avait habituellement aucun problème. Or,
un matin, voilà que, en serrant sa fillette dans ses
bras, il s'est retrouvé en érection...*
*Il poursuit, dérouté, au bord des larmes. «Quel
monstre faut-il être pour être excité sexuellement
par son enfant», etc.*
*Il avait évité depuis cet incident tout contact phy-
sique avec sa fille.*

De prime abord, j'ai douté d'être en présence d'un père incestueux. Ceux-ci ne courent pas les conférences sur la sexualité de l'enfant et ont une peur bleue des sexologues.

Après avoir revu ce monsieur, j'ai eu la certitude qu'il ne
passerait jamais à l'acte. Le parent incestueux présente généralement certaines caractéristiques. D'abord, il n'en parle pas.
Quand l'inceste est dévoilé, il a tendance à banaliser ses
gestes ainsi que leurs conséquences; il est inconscient ou refuse de prendre conscience de la portée destructrice de ses
actes. Il ne consulte pas de spécialiste puisqu'il nie le préju-
dice grave causé à l'enfant victime d'inceste; il accorde même
parfois une valeur «éducative», «initiatrice» à sa conduite.

Dans le cas qui nous occupe, il s'avéra que cet homme
n'avait pas été excité sexuellement *par* son enfant mais qu'il
avait réagi sexuellement *en sa présence.* C'est une nuance fort
importante. Un père aussi conscient que l'inceste blesse et

159

dégrade, aussi attentif à sa propre réaction, aussi soucieux de comprendre et de ne pas nuire est rarement celui qui deviendra un père incestueux. Il aura plutôt tendance, comme dans cette anecdote, à se soustraire aux contacts affectueux. Or, cette retraite n'est pas nécessairement souhaitable puisqu'elle risque d'être interprétée par l'enfant comme un rejet (même si semblables situations peuvent être des alarmes à clarifier...).

> *Une fort belle femme de trente-huit ans raconte: «Au chevet de mon père mourant, je me suis vidé le cœur: «Pourquoi ne m'as-tu jamais donné d'affection, serré dans tes bras, caressé les cheveux?... Tu disais que tu m'aimais, je ne l'ai jamais ressenti.» Réponse inattendue du père: c'est sa peur de l'inceste qui l'avait empêché de manifester son affection.*

Le fantôme de l'inceste

Il y a la réalité de l'inceste. Il y a la phobie de l'inceste, spectre qui nous pousse sur une pente dangereuse. Une véritable panique s'empare aujourd'hui de quantité de mères. J'en connais qui épient le moindre comportement de leur conjoint à l'endroit de leur fille. Drôle de climat familial et amoureux.

Je rencontre aussi trop de femmes troublées, obsédées par ce fantôme.

> *«J'ai envie de faire une psychanalyse ou une thérapie sous hypnose..., me dit Diane, une femme de trente-cinq ans, solide et équilibrée.*
> *— Et pourquoi cela?*
> *— Pour savoir si j'ai été victime d'inceste.*
> *— Et qu'est-ce qui te fait croire que tu aurais pu l'être?*
> *— Je ne sais trop. C'est tellement répandu. Y'a des trous noirs dans mes souvenirs d'enfant. Peut-être ai-je fait tomber des voiles pour me protéger, pour*

ne pas me souvenir. Plus je lis là-dessus, plus mon père me paraît bizarre...»
(!!!)

Le fait d'avoir «survécu» à une relation incestueuse est-il en train de devenir une mode? Que dire de ces pères affectueux et sains qui ne savent plus comment prodiguer leur tendresse à leurs enfants sans passer pour des pères incestueux en puissance?

Oui, l'inceste est grave. Il faut prévenir les enfants à son sujet et être à l'affût. Première chose à faire pour contrer ce fléau: ne pas laisser son ombre nous faire perdre les pédales et nous empoisonner la vie. Votre conjoint exprime ses besoins sexuels et vit sa sexualité avec une personne adulte (vous sans doute), ne vous mettez pas martel en tête parce qu'il s'émeut devant la beauté de votre fille. Quoi de plus naturel? Trouver ses enfants «désirables» et susceptibles de provoquer l'attrait et le désir d'autrui n'indique aucune perversion. L'alarme sonne avec le désir, l'attraction, le fantasme, le goût de séduire ou la réaction sexuelle du parent à l'endroit de l'enfant. Dès cette alerte, il faut s'arrêter, réfléchir, se faire aider.

La réalité de l'inceste, si lointaine et étrangère qu'elle puisse apparaître à la plupart d'entre nous, nous concerne tous et toutes. La loi l'interdisant est universelle et sa portée est considérable: l'enfant doit quitter sa famille et créer des liens ailleurs. Il doit être en mesure de le faire!

Les agrafes parentales

Si l'inceste consommé demeure le fait d'une minorité, l'attitude incestueuse «subliminale» est monnaie courante dans bien des familles.

Je pense à ces cordons ombilicaux jamais coupés, à ces climats qui retiennent et n'aident pas à grandir. Il y a des liens, des agrafes en trop qui freinent, qui empêchent l'oiseau de voler de ses propres ailes[4].

Combien de garçons de dix à douze ans se perçoivent comme les protecteurs, les amants symboliques de leur mère! Combien de filles deviennent les compagnes indéfectibles et serviles d'une mère qu'elles craignent d'«abandonner» à sa solitude! Si les relations de ce genre ne sont pas le fait exclusif des familles monoparentales, il faut reconnaître qu'elles y sont plus fréquentes.

Malgré la présence des femmes sur le marché du travail et le rôle qu'elles jouent dans les domaines économique, politique et social, nombreuses sont celles qui investissent la plus grande part de leur vie affective dans l'enfant, convaincues d'agir ainsi pour de bonnes et nobles causes; l'espace affectif est dès lors entièrement habité par la relation mère-enfant. Le jeune finit par porter sur ses frêles épaules la responsabilité de «rendre sa mère heureuse».

François fait partie de ces enfants «agrafés» par l'amour parental.

> *Il quitte sa mère trois fois l'an pour rendre visite à son père qui vit à l'étranger. À chacun de ses rares départs, il est bouleversé et somatise son trouble... Tout le reste de sa vie se déroule presque exclusivement avec sa mère: loisirs, vacances, courses, repas, etc. Il dort aussi dans le lit maternel assez régulièrement. Il n'a jamais connu à sa mère d'ami intime, d'amant ou d'amoureux.*

Relation néfaste pour les deux parties, dont ils ne s'extirperont pas sans peine. Notez bien: je suis loin de croire qu'il faille s'imposer un amant ou un conjoint dont on n'a pas envie. Si tel est le cas, l'espace affectif inoccupé doit rester «vacant». On ne doit en aucun cas attendre de l'enfant qu'il

---

4. CNAJ, *op. cit.*, p. 45.

comble les besoins psycho-affectifs du parent. L'enfant ou l'adolescent a, outre le lien du cœur qui l'unit à son père ou à sa mère, un territoire émotionnel à explorer, à bâtir, à vivre à l'extérieur du giron familial.

Je ne prétends pas non plus que la mère ait le monopole de semblable dynamique. Si les pères avaient charge d'enfants dans les mêmes proportions que les mères, de telles situations se présenteraient fort probablement autant de leur côté.

Protéger son enfant, le prémunir contre les abus, c'est d'abord refuser soi-même d'abuser de son pouvoir sur lui ou elle.

Les abus sexuels

D'après le rapport Badgley[5], une fille sur deux et un garçon sur trois ont été victimes, au Canada, d'un ou plusieurs abus sexuels «non désirés».

Environ quatre sur cinq de ces incidents abusifs ont eu lieu pour la première fois pendant l'enfance ou l'adolescence et trois enfants sur cinq ont été forcés physiquement ou menacés par leurs agresseurs. Presque toujours, les agresseurs sont des personnes connues de l'enfant (grand-père, oncle, ami de la famille, voisin, enseignant, gardien, moniteur, etc.). Aussi importe-t-il de les informer très tôt de l'existence de ces réalités.

Il est inconcevable que la plupart des enfants croient que n'importe quelle «grande personne» a tous les droits sur eux! Renseignez-les en ayant soin de ne pas miner la crédibilité de tous les adultes qui s'occupent d'eux. Notre société a enfin décidé de ne plus tolérer les abus sexuels, bravo! Il s'agit maintenant d'insérer ce type d'intervention préventive dans une démarche éducative globale. Prenons conscience que:

---

5. Rapport du Comité sur les infractions sexuelles au Canada, Ottawa, 1984, vol. 1.

- beaucoup d'enfants entendent parler de sexualité pour la première fois à l'école, sous l'angle des abus;
- les enfants sont de plus en plus sensibilisés à la dimension *exploitation* sexuelle et rarement à la dimension *épanouissement*;
- certains programmes mettent en doute, de manière plus ou moins perceptible, la crédibilité de tous les adultes, sans discernement;
- certaines interventions amènent l'enfant à considérer comme dangereuse toute situation sexuelle, confondant abus et jeux sexuels entre enfants[6].

Ajouter à cela le fait qu'ils sont régulièrement témoins, par l'entremise des médias, d'arrestations et de condamnations, pour abus sexuel envers des enfants, de têtes de proue masculines: entraîneur sportif, animateur de jeunesse, vicaire de paroisse, télévangéliste, et le tableau est complet. Et ignoble.

L'intervention éducative est révélatrice de notre conception et des ambiguïtés que nous véhiculons. L'empressement de certains milieux à élaborer des programmes de sensibilisation des enfants aux abus sexuels, alors qu'ils se défilent quand il s'agit d'assumer des projets d'éducation sexuelle plus larges, devrait être mis en question.

Enfin, si votre enfant vous confie qu'il a été l'objet de sollicitation sexuelle ou d'abus, croyez-le.

Les fausses déclarations en ce domaine seraient de l'ordre de 1 p. 100 [7] chez les enfants et inexistantes chez les tout-petits. Le cas échéant, il est de votre devoir, non seulement de le soustraire à toute récidive, mais aussi de lui fournir une interprétation de ce qu'il a vécu et de l'éveiller à une autre vision de la sexualité.

Dans un milieu familial à l'aise avec la thématique sexuelle, l'enfant n'enfouira pas au fond de lui de lourds

---

6. Éléments puisés d'une conférence prononcée par Georges Letarte, éducateur-sexologue, au XXVIe congrès du CQEJ, 1988.
7. Planned Parenthood of America, *op. cit.*, p. 183.

«secrets» de cette nature. Cependant, s'il vous arrivait d'observer chez lui un changement marqué de comportement: régression, cauchemars fréquents, crainte inhabituelle envers certains adultes, aversion pour le contact physique, maladies somatiques, irritations et/ou infections des organes génitaux, intérêt insolite pour les activités sexuelles adultes, vous devez, sans prendre le mors aux dents, poser certaines questions et vérifier, avec tact, le bien-fondé de vos soupçons.

Si vous ne vous sentez pas suffisamment outillé pour faire ce déblayage initial sans brusquer l'enfant, allez quérir l'aide d'un sexologue qualifié. Faites ce premier pas, seul d'abord.

Les enfants victimes d'abus sexuels subissent des préjudices affectifs graves et ont besoin d'être aidés. Toute situation d'abus sexuel d'enfant doit être signalée sans délai au Directeur de la protection de la jeunesse.

La pornographie

Elle est si insidieuse qu'elle mérite qu'on s'y attarde.

C'est pendant l'adolescence que se structure l'imaginaire. Pour nourrir ses pensées d'éventuelles relations sexuelles, le jeune cherche du «matériel». Le garçon se tourne vers la porno, les filles nagent dans «l'eau de rose».

Deux mondes parallèles qui les éloignent. Danièle Champagne[8] raconte...

> *J'ai eu en consultation un gars de vingt-quatre ans incapable de faire l'amour. Depuis l'âge de seize ans, il n'avait eu aucun contact avec les femmes. Il s'enfermait chez lui, fumait du hasch et consommait de la porno. À vingt-quatre ans, à sa première relation sexuelle, il a trouvé ça «plate à mort».*

---

8. *Chantier en mouvement, op. cit.,* p. 18. Danièle Champagne est sexologue et intervenante en sexualité et toxicomanie auprès des jeunes.

Le plaisir ne venait que lorsqu'il s'alimentait à des fantasmes violents. Il s'était créé une accoutumance, une insensibilisation. De la porno douce (softcore) à la dure (hardcore), il en était venu au «snuffcore» qui donne dans les actes criminels: femmes tuées, mutilées, dépecées sur vidéo.

Un gars qui se masturbe devant des meurtres de femmes..., aucune relation avec une fille ne peut l'amener à la «hauteur» de ce «buzz»-là.

C'est un cas extrême! Certes, tous les adolescents ne collent pas à cette histoire de cas. Mais tous ceux qui consomment de la pornographie avalent le modèle pornographique en se masturbant. Et la fille avec laquelle ils feront l'amour a de bonnes chances, elle, d'avoir digéré quelques romans Harlequin...

Deux sources saines peuvent pourtant nourrir la mise en place des attentes sexuelles des adolescents et leur imaginaire érotique: la présence dans leur vie d'hommes et de femmes bien dans leur peau, sexuellement épanouis et ouverts au dialogue sur la sexualité des jouvenceaux, une éducation à la dignité sexuelle et affective qui n'exclut pas le plaisir et la sensualité.

Je me demande parfois quand on va cesser de s'aveugler. Les levées de boucliers qu'entraînent les projets d'accessibilité au condom (machines distributrices) ou les programmes d'éducation sexuelle axés sur la dignité et la responsabilité me consternent. Le matériel pornographique se déploie, toutes voiles dehors dans l'univers de nos enfants, et c'est à peine si on réagit. La sexualité présentée de façon saine est si inhabituelle qu'elle scandalise et paraît anormale alors que le marketing pornographique (en forme de signe de piastre) a si bien fait son boulot qu'on finit par trouver «normale» sa présentation de la sexualité... Et quand, dans un soubresaut de lucidité, on y réagit, c'est la plupart du temps pour s'en indigner sans oser proposer de véritables solutions de rechange.

À moins que l'accoutumance à la porno mêle tant nos cartes qu'elle nous empêche de suggérer à nos jeunes d'autres modèles sexuels que, tout compte fait, nous connaissons bien peu nous-mêmes...?

C'est le temps ou jamais de faire connaissance avec ces modèles sexuels qui se terrent en nous, de les étaler en pleine lumière. D'autres modèles. C'est urgent!

Petits consommateurs dominicaux de la porno parentale

Enfin, un mot sur la pornographie tombée par inadvertance entre les mains, sous les yeux et dans les oreilles de jeunes enfants.

Vous consommez vous-même du matériel pornographique à l'occasion? Il ne m'appartient pas de vous faire la morale mais, pour l'amour (c'est le cas de le dire!), prenez soin de ranger la cassette hors de la portée des enfants avant d'aller vous coucher, comme vous le faites pour tout autre produit domestique toxique! L'image pornographique, si «soft» soit-elle, est absolument perturbatrice pour un jeune enfant.

Imaginez-vous l'effet que produisent sur un tout-petit la vue en gros plan d'organes génitaux adultes, d'activités de fellation et de cunnilinctus, la signature éjaculatoire, les scènes sexuelles de groupe, les amas de sexes grossis et sans tête? Vous trouvez mon langage brutal? C'est intentionnel. J'ai trop souvent été consultée par des mères paniquées, dont les bambins avaient eu le loisir de visionner du matériel porno avant le lever des parents. Les petits ne parlaient plus que de ces images, pendant des semaines et à tout le monde... Les parents désespéraient de jamais pouvoir atténuer l'impact de ces scènes sur la structuration sexuelle de leur enfant. Il n'y a rien de pire qu'une situation de détresse dans laquelle on s'est plongé soi-même.

J'ai connu aussi des enfants qui se sustentaient le dimanche, en suçant leur pouce ou en mangeant leurs «cornflakes», du film porno que s'étaient offert les parents la veille. J'ai même déjà vu deux enfants (des frères) être tristement retirés par leurs parents d'un programme d'éducation sexuelle que je donnais, sous prétexte qu'ils «n'avaient pas besoin d'en savoir autant». Ils faisaient partie des petits consommateurs dominicaux de la pornographie parentale. Allez donc y comprendre quelque chose...

Vous croyez que la sexualité est autre chose qu'une activité de loisir monnayable? Vous souhaitez qu'on ne l'enferme pas dans l'enclos pornographique? Vous désirez qu'elle ne soit pas maintenue à l'écart de la vie et de la beauté?

Affichez-le donc ouvertement, cachottier que vous êtes! Enfants et adolescents ne s'en porteront que mieux!

Chapitre 10

❖

La communication: responsabilité parentale

La responsabilité sexuelle c'est l'obligation morale, intellectuelle et humaine d'assumer sa réalité sexuelle et ses conséquences sur soi et sur autrui. La responsabilité des parents en éducation sexuelle, c'est de témoigner de cette nécessité, c'est d'aider le jeune à cheminer dans cette direction.

Langage et communication entre parents et enfants sont les voies royales du processus éducatif, et la responsabilité d'établir le dialogue incombe à l'adulte. La dimension affective de la relation parent-enfant rend l'adolescent hésitant, voire incapable d'amorcer le dialogue sur les questions sexuelles. Il craint d'être jugé, de susciter inquiétudes et réactions vives. Le parent est dans une position moins vulnérable. Une fois qu'il a dissipé son sentiment d'avoir perdu toute influence auprès de son enfant, qu'il a surmonté le malaise découlant justement de l'absence de dialogue sur le plan de la sexualité, qu'il a reconnu l'intérêt et les préoccupations des jeunes en ce domaine, il ne lui reste qu'à pousser la porte déjà entrebâillée qui mène à la rencontre.

Dans la situation où je suis, tantôt avec des jeunes, tantôt avec des parents, je sais que des deux côtés on espère que l'autre poussera cette porte... Il me semble que c'est au parent qu'il appartient de convier l'enfant à un tel partage.

La lumière et l'estime de soi par les mots

Je ne m'attarderai qu'un instant sur le langage sexuel et sexologique qui a été examiné au chapitre sur la petite enfance.

Certains événements et circonstances ont sombrement témoigné des problèmes engendrés par l'ignorance d'une terminologie sexuelle adéquate.

> *À ce propos, un journal américain, relatant un abus sexuel commis sur un enfant en 1984, rapportait qu'une fillette avait déclaré qu'«on lui avait fait mal là où elle allait à la toilette».*
>
> *Les accusés se défendirent en prétendant que l'enfant faisait allusion à une fessée ou à une occasion où ils avaient dû lui essuyer les fesses souvent à cause d'une diarrhée[1].*

Comment un enfant peut-il rendre compte, de façon cohérente, qu'il a été victime d'un abus sexuel s'il ne connaît pas le vocabulaire pouvant rendre explicite ce qu'il a subi?

Le simple fait de nommer, de dire les mots qui font comprendre exactement ce que l'enfant a vécu a un double effet. Dans un premier temps, il se sent partiellement libéré; ensuite, il constate que malgré la portée et le sens de ces mots, il est cru et accepté, lui, si petit à côté de l'adulte. Les mots vont loin, plus encore ceux que l'enfant prononce lui-même; ils contribuent à effacer honte et culpabilité, à restaurer l'estime de soi.

D'autre part, dans un contexte de saine expression sexuelle où l'enfant va à la découverte de ses perceptions, il faudrait, par le langage, lui confirmer qu'il a vu juste.

---

1. Planned Parenthood of America, *op. cit.,* p. 180.

Françoise Dolto croit que l'éducation sexuelle est pour beaucoup de parents et d'éducateurs une sorte de mission impossible parce qu'on parle aux enfants avec des mots vagues et ambigus. Ceux-ci savent très bien distinguer les sensations génitales de celles du système digestif: il faut mettre des mots là-dessus, des mots justes! De même pour l'attirance qu'ils peuvent avoir pour quelqu'un. Leur dire qu'elle est normale à condition que ce soit hors de la famille et pour des enfants de leur âge.

Le mot amour

Il convient de ne pas utiliser à toutes les sauces le mot amour, si chère que soit pour vous cette valeur. J'ai récemment assisté à une représentation de la pièce *L'Éveil du printemps*[2], écrite il y a près de cent ans.

> *Une adolescente s'est toujours laissé dire que, pour faire un bébé, il fallait aimer très fort. Aussi réplique-t-elle fermement à sa mère, lorsque celle-ci apprend que sa fille est enceinte:*
> *«Mais maman, c'est impossible! Je ne peux pas attendre un bébé, ce n'était qu'un jeu et je ne l'aimais pas. Il n'y a que toi que j'aime, maman.»*

Le contenu de cette pièce est toujours brûlant d'actualité.

Certains parents expliquent à leurs enfants la grossesse et la naissance en les liant intrinsèquement à l'amour. Certes, il est bien de confirmer à l'enfant que «parce qu'on s'aimait on l'a désiré» ou que «parce qu'on s'aimait on était attirés l'un par l'autre», si telle est la réalité. Par contre, on ne devrait jamais insinuer que la sexualité ne peut s'exprimer hors de l'amour.

---

2. Wedekind, F., *L'Éveil du printemps, tragédie enfantine*, Gallimard, 1974 (pièce écrite en 1891).

Quand on dit à un enfant que «pour faire un bébé, il faut s'aimer beaucoup», on ment.

Combien de filles se retrouvent enceintes de garçons qu'elles n'ont pas aimés! Combien d'hommes et de femmes ont des enfants d'ex-partenaires qu'ils n'aiment plus! Aujourd'hui, les adolescents savent très bien, intellectuellement, qu'un rapport sexuel sans amour peut mener à une grossesse. Émotivement, ils se comportent comme s'ils n'en savaient rien. Notre façon d'aborder la sexualité aurait-elle quelque chose à voir là-dedans?

De surcroît, si on inculque à l'enfant l'idée que tout rapprochement sexuel est une marque d'amour, comment pourra-t-il reconnaître l'abus et l'exploitation sexuels et s'en défendre? Quelle interprétation fera-t-il de la violence sexuelle? de la pornographie? Oui, l'amour conjugué à la sexualité est ce que nous souhaitons tous. Mais l'un ou l'autre peut s'exprimer séparément, tous les parents savent cela, plusieurs le vivent. Pourquoi le taire aux enfants et aux adolescents? Ils le découvriront bien tôt ou tard de toute façon; et avec moins d'angoisse si, auparavant, des mots ont été mis sur ce qu'ils expérimentent.

La sexualité vécue dans le respect est une chose possible dont il faudra bien parler un jour.

Parler d'amour, c'est d'abord se «brancher» sur les besoins affectifs des jeunes. C'est aussi les aider à clarifier leurs attentes; les amener à départager leurs sentiments, leurs émotions, leurs désirs.

C'est leur permettre de reconnaître que la recherche d'amour s'inscrit parfois dans des comportements de plaisir, de partage, de tendresse, de découvertes...

Des expériences sans amour avec un grand A direz-vous? Oui. Mais quand elles sont choisies, comprises et bien vécues, elles sont riches d'amour à petits a: agréables, accueillantes, amicales, affectueuses, «aimantées», aimables, «aidantes»...

La sacro-sainte communication

«Il faut parler.» «Il faut communiquer.» «Il faut dialoguer.»
La communication a été sacralisée et galvaudée. Le dialogue
n'est pas une assurance contre les divergences, contre les ba-
garres, contre les ruptures. Il y a parler et parler. Il y a parler
pour parler et il y a parler et *se parler.*

Les paroles vides sont inutiles: on se cache derrière les
mots. Osons-nous parler à nos enfants de ce qui nous touche?
Pourquoi attendre que rien n'aille plus pour essayer de dire ce
qui blesse?

Communiquer, je le répète, cela n'est pas tout approuver,
tout dévoiler, tout accepter. Si on approuve tout de suite, on
met fin immédiatement à la communication.

La communication, c'est un état de disponibilité, une disposition du cœur qui rend capable de saisir une occasion de
rapprochement.

Attendre que l'adolescent vienne nous dire: «Aide-moi, je
ne sais plus où j'en suis» est utopique. Un souvenir personnel...

> *Ma fille, alors âgée de quinze ans, était dans un état
> lamentable. Plus d'appétit, plus de rires qui débou-
> lent, même plus de sourires, plus d'intérêt pour les
> études, réfugiée dans le sommeil, elle habituelle-
> ment si dynamique...*
>
> *Aussi démunie que n'importe quel parent, je la re-
> gardais aller. Puis, un après-midi où nous étions
> seules et qu'elle s'était cloîtrée dans sa chambre, je
> me suis décidée à l'y rejoindre. Si je ne vais pas la
> chercher, qui le fera? m'étais-je dit.*
>
> *Ne sachant absolument pas comment l'aborder (les
> techniques fichent le camp quand la charge
> émotive est trop grande), j'ai laissé parler mon
> cœur.*
>
> *«Écoute, je ne sais pas ce que tu as, je sens que tu
> ne veux pas ou ne peux pas m'en parler. Te voir*

ainsi me fait plus mal que tout ce que tu pourrais me dire. Si tu penses que quelqu'un d'autre pourrait t'aider, je peux peut-être, moi, t'aider à aller chercher ce support. Je refuse de te laisser seule là-dedans...»

J'étais sincère et si impuissante. Je ne tenais pas à connaître les raisons de son désarroi. Je tenais à la secourir pour qu'elle s'en sorte.

Elle m'a laissée faire mon monologue et je suis restée près d'elle sans plus dire un mot après qu'elle m'y eut invitée.

Après un long silence, elle a balbutié à travers ses sanglots:

«Je ne suis pas capable de te le dire, mais je veux que tu essayes de deviner...»

Dans des situations de ce genre, il est plus facile de faire la sourde oreille aux cris étouffés de nos adolescents. Peur de savoir, peur de dramatiser. Mais que deviendra l'adolescent si les personnes les plus importantes pour lui ne lui tendent pas la main?

Mieux vaut prendre ce risque que d'éviter la rencontre et le conflit possible. En fin de compte, mieux vaut dramatiser que de prolonger le désert relationnel.

Le jeune a besoin de repères, besoin qu'on réagisse à ses comportements. Il a en lui, elle a en elle toutes ses réponses. Il ne lui faut parfois qu'un filet de lumière extérieure pour les apercevoir.

Il y a dialogue entre parent et enfant lorsque l'un des deux parle à l'autre de ce qui le passionne, le dérange, le touche ou l'inquiète. Le dialogue se poursuit avec des silences, des questions, de l'intérêt. Pas de réponses obligatoires. Elles peuvent venir les jours qui suivent; le dialogue reprend alors et il a avancé, comme vous.

Communiquer ce n'est pas toujours parler. S'il y a des silences qui mentent et qui fuient, il y en a d'autres qui sourient et qui apaisent.

Communication — Contraception

Au Québec, en 1985, 7 711 adolescentes se sont retrouvées enceintes. Environ 50 p. 100 d'entre elles ont eu recours à un avortement tandis que l'autre moitié décidaient de poursuivre leur grossesse.

J'estime que c'est à l'adolescente, avec l'aide de soutiens éclairés, qu'il appartient de choisir de poursuivre ou d'interrompre une grossesse accidentelle. Obliger une fille ou une femme à subir un avortement ou à assumer une grossesse non voulue peut entraîner de graves conséquences. Personne n'est pour l'avortement et contre la vie. Pour ma part, je suis pour la vie: la vie et l'intégrité de la femme d'abord. Toute fille ou femme devrait pouvoir dire un vrai oui ou un vrai non à une grossesse lorsque la contraception a échoué. Ce choix lui appartient et devrait lui être facilement accessible. Un avortement précoce ne comporte aucun risque alors qu'une grossesse menée à terme implique de réels dangers pour la jeune adolescente.

Les parents peuvent-ils contribuer à prévenir d'aussi pénibles alternatives? Ont-ils un rôle à jouer dans la décision des jeunes de recourir à la contraception? Oui. Les informer au moment le plus propice, c'est-à-dire à l'époque de la puberté alors que ces questions sont moins gonflées d'émotivité. Se rafraîchir ensemble la mémoire quand il est évident que l'adolescent a une vie sexuelle active. Rendre ainsi possible l'échange parent-jeune sur les différents moyens de contraception et, par ricochet, lui faciliter une vie sexuelle plus harmonieuse.

Les filles qui commencent à prendre la pilule peuvent avoir des inquiétudes à partager: premier examen gynécologique, effets secondaires, gonflement des seins, nausées, etc. Peut-être ne détesteraient-elles pas en bavarder avec leurs mères qui ont bien souvent une expérience de la contraception à partager. Constater ensemble qu'il n'y a pas de méthode idéale de contraception mais qu'il existe un moyen plus adéquat, selon l'âge, le type et la fréquence des activités sexuelles, etc.

Et puis, cela crée une brèche sur d'autres conversations plus larges. S'ouvrir au dialogue plutôt que de fermer les yeux.

> Mélanie m'écrit:
> *Je sors avec Jean-Pierre depuis six mois et j'ai commencé à prendre la pilule. J'en n'ai pas parlé à ma mère, encore moins à mon père.*
> *Je suis sûre qu'ils savent qu'on couche ensemble; ils font semblant de ne rien voir. J'aimerais ça parler plus avec mes parents, surtout avec ma mère. Pas de tout mais de certaines petites choses que je vis et qui me tracassent.*
> *Depuis quelque temps, je laisse traîner mes pilules... C'est sûr qu'elle les a vues, mais elle ne m'en a pas parlé. Elle veut rien savoir. Dans ton photoroman, tu montres un parent qui a mis des condoms au frigidaire pour son fils. Ça n'existe pas dans la vraie vie. En tout cas, pas dans la mienne. Tu vas me trouver dure, mais je pense que les parents sont hypocrites.*
> *Je suis en train de te raconter ma vie, alors que je voulais juste te dire...*

Si toute fille sexuellement active a un choix personnel à faire quant à la contraception, il en va de même pour le garçon. Tout garçon capable de féconder a une responsabilité à assumer. Le plaisir que l'on désire partager s'assume à deux.

Sentez-vous libre de dire à votre fils que sa copine l'apprécierait davantage s'il insistait autant pour assumer la contraception que pour initier le rapport sexuel... Qu'en plus, le condom offre l'avantage appréciable de ralentir son rythme... Bref, souligner les aspects positifs du condom plutôt que d'insister toujours sur la prévention des maladies.

Communication — MTS et SIDA

Comment réagissent vos adolescents au phénomène du SIDA?

> *C'est pas pour nous.*
> *Je sais tout cela.*
> *Faut bien mourir de quelque chose.*
> *Je suis fidèle.*

Ils refusent d'imaginer que leur partenaire puisse aller voir «ailleurs». Ils ont oublié qu'ils ont été fidèles à quatre partenaires différents au cours de la dernière année.

Entre la dramatisation et la banalisation

En parler est nécessaire. Comment le faire positivement? En mettant l'accent sur la vie à protéger, avec un certain humour, sans banaliser le sujet. L'humour a quelque chose de libérateur; pour atteindre les jeunes, les campagnes de prévention devront de plus en plus miser dessus.

> *J'ai vu quelque part une affiche illustrant un condom et qui disait: «Le condom est élastique, il étire la vie.» Génial non? Et séduisant.*

Rendre séduisante l'idée de protéger son territoire plutôt que d'avoir à déloger l'intrus.

Vous trouvez indécent l'humour pouvant entourer le SIDA ou le condom? Entre vous et moi, avons-nous d'autres recours? Dramatiser la situation ne peut que l'envenimer. Rien n'est à négliger pour atteindre les jeunes, les toucher.

177

Face au SIDA, nous sommes tous comme des pompiers. On ne peut éteindre le feu. On tente au mieux de l'empêcher de se propager. On prie tous pour que le pyromane, encore au large, soit attrapé et neutralisé par les chefs pompiers. Pour l'instant, nous en sommes là. Par-delà la prière, l'unique moyen dont nous disposons pour stopper, ou du moins pour ralentir la propagation du fléau, c'est l'information et l'éducation.

Et il y a toutes les autres bibites reléguées dans l'ombre par le spectre SIDA. La chlamydia, trois fois plus répandue que la gonorrhée, vingt fois plus fréquente que le SIDA et l'herpès réunis. Au Québec, en 1985, 125 000 cas. Chez les jeunes filles nées entre 1970 et 1979, une sur deux aura une salpingite avant l'an 2000, une sur huit aura des problèmes de stérilité, une sur quatre verra sa qualité de vie diminuée[3].

Autant d'affreuses bonnes raisons pour se décider une fois pour toutes à se jeter dans l'eau d'une éducation sexuelle limpide. J'ai le sentiment qu'on a, jusqu'à ce jour, affecté de s'ouvrir à la sexualité sans que l'intérieur réponde à l'extérieur, ou, à l'inverse, sans que l'extérieur corresponde à l'intérieur. Une sorte d'ouverture un peu ostentatoire, une attitude ambivalente qui dit oui et non en même temps, et cela tant chez les intervenants en sexualité que chez les parents. Il n'y a, dans mon esprit, aucune connotation de blâme dans cette remarque. Ce n'est que le constat d'une situation qui, somme toute, était peut-être inévitable étant donné notre bagage historique.

Le moment me semble stratégique pour l'unification personnelle et pour l'avènement d'une intervention éducative explicite en sexualité: des énoncés clairs et précis, des gestes nets et positifs, des attitudes sans équivoque et non évasives. Et plus concrètement?

• Prendre ouvertement position devant vos enfants sur les problématiques sexuelles.

---

3. Rowan, Renée, *Le Devoir*, 24 octobre 1986.

- Amorcer franchement le dialogue le plus tôt possible.
- Recevoir le message de votre fille qui laisse traîner ses pilules comme une «bouteille à la mère», moins pour vous provoquer que pour susciter une réaction et une rencontre avec vous.
- Répondre sans détour aux comportements et invitations déguisées que votre adolescent vous adresse.
- Offrir à votre fils une jolie boîte de condoms (musicaux, s'il aime la musique) quand vous lui laissez la maison pour la fin de semaine et que vous soupçonnez qu'il pourrait y faire autre chose qu'y dormir; un tel geste ne constitue pas une «incitation à l'indécence», mais plutôt une expression de votre cohérence.
- Choisir d'aborder les choses de front plutôt que de les contourner, etc.

Vous savez, la lettre de Mélanie (p. 176) est très représentative des sentiments qu'éprouvent plusieurs jeunes face à leurs parents. Nombreux sont ceux qui décodent le silence ou le malaise des parents comme de l'hypocrisie. Comme parent, cette interprétation des jeunes m'atteint vivement. Et si je peux, à l'occasion, proposer aux adolescents une lecture plus positive des attitudes ou du mutisme de leurs géniteurs, il m'est impossible de me substituer à eux. Seuls les parents ont le pouvoir de situer la sexualité de façon significative aux yeux de leurs jeunes, dans le contexte particulier de la famille, et de leur dévoiler le sens des comportements parentaux.

Une éducation sexuelle affectée ou un semblant d'ouverture ne peuvent engendrer autre chose chez nos adolescents que des comportements sexuels de baliverne, qu'une responsabilité sexuelle de pacotille.

Chapitre 11

Situations particulières

La première fois

Je parie que vous vous souvenez très clairement de votre «première fois». Vous pourriez dire où c'était, comment ça s'est passé, comment vous vous êtes senti, avant, pendant et après... Étiez-vous prêt, étiez-vous prête à vivre ce rapprochement? Auriez-vous souhaité en parler à quelqu'un?

Le premier rapport sexuel nous marque, positivement ou négativement. Aussi importe-t-il de le «voir venir» plutôt que de s'y laisser prendre.

La crainte est l'émotion la plus généralisée chez les jeunes à la pensée du premier rapport sexuel; en second lieu ils sont curieux. La plupart y vont pour s'affirmer, pour dépasser la crainte, «pour voir» ce que c'est.

Assaillis de deux côtés, par le «faut le faire» du milieu social et le «ne pas faire» de la famille, ils se jettent à l'eau. «Prêt pas prêt: j'y vais!»

«À quel âge sont-ils prêts et comment savoir qu'ils le sont?» demandent les parents. Il n'y a pas de règle. Il y a l'âge où on est prêt. Certains le sont à quinze ans, d'autres à dix-huit ans, quelques-uns ne le sont pas encore à trente! Quoi qu'il en soit, l'époque des couventines est révolue.

181

Une enquête effectuée en 1985 auprès de 1 072 élèves de treize à dix-sept ans, de Montréal, révélait que la majorité des adolescentes ont leur première relation sexuelle à quatorze ans et demi et les adolescents à treize ans[1].

La précocité masculine vous surprend? Moi aussi. La vaste majorité des garçons que je rencontre disent avoir eu leur première relation sexuelle coïtale vers quinze ou seize ans. C'est à se demander si les gars, dans un questionnaire, ne se «vanteraient» pas un peu!

Dans un groupe de gars et de filles de niveau collégial que j'animais, un jeune homme étalait en grande pompe ses prouesses et conquêtes sexuelles. Vers la fin de la série de rencontres (quinze semaines), il m'avoua n'avoir encore jamais fait l'amour qu'en pensée...

Chose certaine, on peut supposer, à travers les purées de statistiques, que plus de la moitié des jeunes auront expérimenté le rapport coïtal avant la fin du secondaire. Mes données professionnelles personnelles, non scientifiques, indiquent un âge moyen de quinze ans chez la fille et de seize pour le garçon.

Ce détour dans les chiffres est pour dire que l'idéal serait qu'un jeune commence sa vie sexuelle active quand il s'y sent prêt. Si vous faites partie des heureux parents auxquels l'adolescent parle de ses projets sexuels, vous pouvez l'aider en lui soufflant certaines questions:

Est-ce que je dis un vrai oui? Un vrai non? Pourquoi? Pour qui je le fais?

---

1. Et 33 p. 100 des filles refuseraient la contraception lors de leur premier rapport sexuel; source, *Journal de Montréal*, 8 mars 1986, in *L'Alliance, op. cit.*, p. 24.

Quelles sont les conséquences possibles?
Suis-je capable d'y faire face?
Est-ce que j'ai choisi le lieu? Le moment?
Le moyen de contraception?... (la personne?)...
Ai-je pensé à me protéger contre les MTS?

Ne lui faites pas le coup des questions et des réponses, vous gâcheriez tout. À lui, à elle de trouver ses réponses personnelles, d'y accorder ses choix sexuels.

Faire l'amour, c'est pas comme au cinéma

La plupart des adolescents sont déçus de leur première relation «complète»: faire l'amour s'avère moins «buzzant» dans la réalité qu'on se l'était imaginé dans ses fantasmes.

Ce désenchantement expliquerait-il la période d'accalmie qui suit, dans certains cas, l'exercice sexuel «exploratoire»? On constate, en effet, chez beaucoup de jeunes ayant eu des rapports sexuels précoces, une mise en veilleuse d'une durée indéterminée avant l'accès à une sexualité partagée.

Démythifier le nirvana pénis-vagin

Le parent ouvert et sensible peut amortir le choc en démythifiant le rapport sexuel de pénétration.

> • *La première fois, tu sais, c'est pas toujours l'extase comme au cinéma; ça peut néanmoins être une rencontre vraie, belle, partagée.*
> • *Faire l'amour, ça s'apprend lentement...*
> • *Tu n'as pas à te sentir coupable si la gêne ou l'émotion te fait perdre tes moyens.*
> • *L'orgasme n'arrive pas à la fille comme un cadeau du ciel...*

183

> • *Le plaisir d'être ensemble, d'avoir partagé son intimité, d'avoir appris quelque chose, c'est déjà beaucoup...*
> • *Et la première fois peut servir de leçon pour la deuxième et la deuxième pour la troisième et...*

Avant de céder la conclusion à madame Dolto sur ce point, une confidence: le vécu sexuel du jeune ressemble étrangement à l'éducation sexuelle qu'il a reçue!

Quand on a demandé à madame Dolto si elle croyait que des enfants qui auraient été acheminés, dès la maternelle, vers la compréhension de la différence des sexes, vers la fierté d'être un garçon ou une fille, auraient davantage de liberté par rapport aux expériences sexuelles, elle a répondu:

> *J'en suis sûre. Les enfants auraient appris, bien avant l'âge adulte, à connaître les types de compagnes et de compagnons qui correspondent à leur sensibilité. Au lieu d'attendre dans le giron familial, et avec quelle impatience, se nourrissant de fantasmes, l'âge de la prégnance des besoins sexuels, il y aurait eu toute une expérience de la réalité au cours de la croissance...*[2]

La nudité

Le sujet de la nudité familiale rend perplexes beaucoup de parents.

> Pour Wells (1976), «*la nudité est positive à la santé de l'enfant et il est excellent de se montrer nu à ses enfants*». Selon lui, «*un garçon de douze ans ne peut être excité sexuellement à la vue des seins de sa mère s'il y est habitué. À défaut d'observer les ani-*

---

2. Dolto, F., *op. cit.*, p. 98.

maux dans la nature, observons-nous les uns les autres et, s'il vous arrive une érection devant votre fillette, vous aurez une bonne occasion de lui expliquer ce que c'est[3].»

À l'opposé, Dolto[4] affirme que la nudité du parent *«excite sexuellement le jeune enfant, le séduit et l'infériorise».* Selon elle, *«les parents sont pour l'enfant plus qu'Adonis et Vénus et ce, même s'ils sont laids comme des poux, et le petit «avale» la beauté du père ou de la mère alors qu'il devrait la rejeter.»*

Il serait intéressant que des études sérieuses élucident ces postulats antinomiques. On pourrait tenter de voir quels ont été les effets, sur les enfants, des philosophies naturistes et nudistes mises en pratique dans certaines familles et comparer avec un groupe contrôle d'enfants qui auraient peu ou n'auraient pas vécu une telle expérience. Ces recherches n'ayant, à ma connaissance, pas été faites, il faut tâcher de se faire une opinion sur le sujet.

Les uns banalisent l'impact de la nudité alors que les autres en exagèrent les effets. En faire une religion me semble une aberration; la proscrire comme source de toutes les perversités m'apparaît excessif.

À mes yeux, se pavaner nu devant ses enfants est un non-sens, à moins qu'on ne le fasse aussi familièrement devant n'importe quel proche ou ami. Je ne parle pas de la nudité «par hasard», celle de la salle de bains, de la baignade ou du bronzage intégral dans un lieu isolé.

C'est aux parents qu'il revient de familiariser l'enfant avec le nu, sans provocation et en ménageant sa pudeur, selon son âge et selon les circonstances. Si vous décidez de nager nu dans un lac «limpide et cristallin», perdu au fond des bois,

---

3. Wells, H.M., *op. cit.*, p. 39.
4. Dolto, F., extrait d'un texte intitulé *L'Éducation quotidienne vue par F. Dolto*, Notes de stage ÉDU 7710, p. 45.

grand bien vous fasse. L'enfant ou l'adolescent ne devrait jamais se sentir obligé d'en faire autant, ni être victime de railleries s'il s'y refuse.

Je suis tentée de croire que la nudité occasionnelle ne comporte ni avantage, ni inconvénient. Elle fait partie de l'univers de la vie quotidienne et ne peut, à mon humble avis, aiguillonner la sexualité de l'enfant ou de l'adolescent. À chaque famille de trouver son point d'équilibre en respectant la personnalité des membres qui la composent.

Les traumatismes sexuels

Quand un événement, un fait, un incident, unique ou en série, déclenche chez une personne un ensemble de perturbations modifiant sa personnalité en la sensibilisant aux émotions de même nature, on dit qu'il y a traumatisme.

Traumatismes réels ou fabulés

Le mot traumatisme est souvent employé à tort et à travers pour signifier un bouleversement passager.

> *Je peux être chamboulée si j'aperçois, en sortant de chez mon épicier, un couple qui fait l'amour sur le trottoir. Je ne serai pas traumatisée pour autant (du moins faut-il me le souhaiter!), c'est-à-dire que cet événement insolite ne modifiera pas ma personnalité ni mes émotions face à la sexualité...*

Plusieurs parents se tourmentent démesurément à l'idée que leurs enfants puissent être traumatisés.

> *«Mon fils de quatre ans a joué au docteur une fois ou deux avec le petit voisin qui est de deux ans son aîné. Sera-t-il traumatisé?*

— Je ne le croirais pas.»
«Ma fillette de cinq ans a vu un accouchement à la
télévision, je pense qu'elle a été traumatisée.
— Cela m'étonnerait; secouée peut-être?»
«Les enfants ont fait irruption dans notre chambre
en plein milieu de nos ébats sexuels. Les avons-nous
traumatisés?
— Non. Certainement moins que vous...»

Il y a les traumatismes réels et les traumatismes imaginaires, ou plutôt imaginés par l'entourage. Le hic, dans un tel cas, c'est qu'à force de fabuler très fort, d'en rajouter, on finit par affecter vraiment le comportement de l'enfant et parfois de manière durable.

Un père divorcé avait amené sa fille de treize ans en
consultation parce qu'elle avait surpris sa mère au lit
avec une femme. Tous les adultes de la famille pa-
ternelle, grands-parents inclus, paniquaient.
Lorsque le thérapeute «sonda» l'adolescente, elle lui
dit sur un ton nonchalant:
«C'est une façon d'être comme une autre... Un peu
bizarre peut-être... Moi, ce qui m'ennuie avec ma
mère c'est qu'elle ne me fait jamais à dîner[5]!»

Les vrais traumatismes

L'inceste, toutes les études le démontrent, traumatise à des degrés variables ceux et celles qui en sont victimes. L'enfant attend de son géniteur qu'il soit un père. Pas un amoureux, pas un amant, pas un initiateur sexuel!

J'ai aidé une fille de quinze ans qui en paraissait à
peine douze. Elle avait été victime d'inceste depuis

---

5. Wells, H.M., *op. cit.*, p. 149.

son plus jeune âge (aussi loin qu'elle se souvienne),
et la situation venait tout juste d'être dévoilée.
Les gestes incestueux avaient pris la forme de tou-
chers génitaux et de contacts bucco-génitaux récipro-
ques, entre le père et la fille. Autour de dix ans, sa
croissance a presque complètement cessé. Elle avait
si peur, avec la puberté, d'être contrainte à la péné-
tration vaginale qu'elle a, subconsciemment, arrêté
son développement pour se dérober à cet aboutisse-
ment.

Elle fut menstruée pour la première fois à seize ans, un an après la rupture du silence et l'éloignement du père incestueux...

Ce type d'inceste, concernant adulte et enfant, a toujours une forte incidence traumatisante: oncle-nièce, grand-père — petit-fils ou petite-fille, mère-fils (rarissime)... selon la nature des actes posés et la durée de la relation incestueuse. La révélation de la situation incestueuse déclenche un orage de perturbations familiales qui sont bien en deçà des séquelles indélébiles laissées sur la victime quand cette situation est prolongée et non déclarée. Lorsque le mur du silence éclate, l'édifice bourré de vices cachés s'effondre. La victime a besoin de secours ponctuel et de soutien à plus long terme, de la part de personnes compétentes, pour reconquérir l'estime d'elle-même et se reconstruire.

Les effets traumatisants de l'inceste se font sentir jusqu'à l'âge adulte. Des femmes «survivantes» à l'inceste doivent parfois se faire traiter encore 20 ans après les actes incestueux. La victime d'inceste ne paraît pas toujours traumatisée; elle peut vivre en effet une phase de «refoulement» pendant laquelle elle arrive à «oublier» ce qui s'est passé.

Si les conséquences physiques de l'inceste sont parfois sérieuses, ce sont les dommages psychologiques qui sont les plus graves: sentiment de culpabilité, désarroi, anxiété, peur de l'autre sexe, dépression, fuite dans la drogue, la délinquance, la prostitution et, parfois, dans le suicide.

Dans cette foulée, les abus sexuels d'enfants, commis par des adultes ou des adolescents, comportent, sur un mode à peine mineur, le même potentiel traumatisant. Qu'ils soient accompagnés ou non de violence physique, ils constituent une agression en tant que rapport de force et de pouvoir établi avec l'enfant, et ils laissent sur la victime des séquelles indélébiles.

Les préjudices affectifs causés à l'enfant abusé sexuellement sont de même nature que dans l'inceste: angoisse, crainte des adultes, dépression, perte de l'estime de soi, etc.

Si votre enfant ou adolescent a été victime d'un abus ou d'une agression sexuelle, vous devez faire en sorte qu'il ou elle reçoive rapidement les soins physiques, psychologiques et sexologiques dont il ou elle a besoin; vous devez porter plainte, *quel que soit* l'agresseur.

Il va sans dire que le viol et l'agression physique sont également traumatisants. Le viol n'est pas un «rapport sexuel», c'est un acte sexualisé, de haine, posé contre quelqu'un. Le pénis du violeur devient une arme, de la même manière que la main peut caresser ou frapper.

Ouvrons une parenthèse.

(C'est une aberration de croire que certaines filles désirent être violées. Je n'ai jamais rencontré une seule fille ou femme qui souhaite être injuriée, blessée ou menacée de mort. Les victimes de viol ne sont pas consentantes. Se soumettre par crainte de mourir n'est pas un consentement! De plus le désir de viol n'existe nulle part ailleurs que dans les fantasmes masculins. Certaines filles ont englouti le cliché, frelaté par un certain message socio-pornographique, du désir inavoué d'être violée.

Marlène, dix-huit ans, me confie:

> *Je ne suis pas normale. Je n'aime pas les rapports sexuels. Je ne jouis pas et, en plus, j'ai des fantasmes bizarres. Ça m'excite quand je m'imagine être prise au dépourvu, obligée de céder...*

Un tel fantasme ne traduit pas un désir inconscient de viol! Il exprime le souhait d'être irrésistiblement désirable; il incarne aussi la manifestation intra-psychique d'une négation des besoins sexuels féminins, d'un refus d'assumer la responsabilité de ses désirs. Récurrent chez les filles d'aujourd'hui, le vieux mythe de la femme soumise, objet sans besoin, ne se réveillant que lorsqu'elle y est «forcée», donc «blanchie» du *vil* besoin de plaisir! Un fantôme de l'éducation sexuelle passée!

Une éducation sexuelle saine reconnaîtrait pour légitimes l'expression et la formulation sans détour des besoins et désirs sexuels féminins. Fermons cette parenthèse.)

Enfin, la violence sexuelle, au sens le plus large et le moins noble, d'un homme qui violente, injurie ou diminue sa conjointe a une incidence traumatisante indéniable sur les enfants qui en sont témoins. Le tableau de la brutalité quotidienne stigmatise l'enfant et le conditionne à reproduire le scénario par mimétisme. Il s'identifiera au modèle parental violent-agissant ou à celui de la victime violentée.

Chaque cellule de son être, au lieu de photographier tendresse, caresses et affection, s'imprègne de la dynamique d'une communication avilissante et sauvage.

Les faits sexuels non traumatisants

Les jeux sexuels entre enfants ou entre adolescents, les épisodes passagers de curiosité sexuelle entre frères et sœurs d'âge rapproché, la vue d'une scène érotique, la chaste nudité des parents ne sont pas, dans leur essence, des incidents potentiellement traumatisants.

Il est évident qu'à la limite, l'événement le plus futile peut avoir un écho traumatisant... Le parent doit faire la part des choses; ne pas devenir dingue; ne pas se mettre à soupeser des œufs de mouche dans des toiles d'araignée; ne pas voir de mal là où s'extériorise une innocente curiosité.

J'ai été saisie du cas d'une femme d'une quarantaine d'années qui avait, à sept ans, été traitée par un psychiatre.
Sa mère l'avait surprise dans le petit bois «en train de se tripoter», avec son frère de neuf ans. Le garçon fut exempté de la thérapie parce que «pour un garçon, c'est normal».

La dame me confia avoir effectivement été traumatisée «par la réaction de sa mère et par la thérapie».

De vous à moi, ne pensez-vous pas que c'est la mère qui aurait eu besoin de consulter un spécialiste?

Nous nous sommes demandé aux chapitres 4 et 5 comment expliquer et rassurer l'enfant qui a été témoin, oculaire ou auditif, de rapports sexuels adultes. Que les enfants voient ou entendent leurs parents faire l'amour est le «traumatisme» qui hante le plus l'esprit des parents. Qu'en est-il?

Tout petit, l'enfant qui surprend la scène conjugale pensera généralement que vous vous battez. Alors, imaginez que si vous hurlez: «Sors d'ici tout de suite!», vous le confirmerez dans son impression de se trouver devant un champ de bataille. S'il s'agit de jeunes enfants, rassurez-les sur l'acte sexuel en évoquant le jeu.

«On ne se bat pas ma chérie, on joue à la lutte!
—Ah bon... Il me semble que tu n'essaies pas de gagner très fort, maman...» risque-t-elle de marmonner en retournant nonchalamment se coucher.

Tous les enfants se chamaillent pour jouer, pour le plaisir. Ils comprendront parfaitement que, dans votre corps à corps, vous en fassiez autant.

Chez les moins de six ans, ces explications sont suffisantes. Ne vous empêtrez pas dans de longs discours: «Voilà, cela s'appelle faire l'amour ou avoir une relation sexuelle... tu vois quand papa et maman, etc.» Vous les intrigueriez davantage.

À neuf ans, si vous leur avez préalablement répondu en ce sens, ils ne vous demanderont probablement pas ce que vous faites; ils le sauront très bien et n'en ressentiront aucun trouble.

On me demande aussi parfois s'il est traumatisant pour un enfant d'assister à un accouchement.

Oui et non, tout dépend. Si l'on présente un tel documentaire à la télé et que votre enfant tient à le voir, c'est vraisemblablement parce qu'il est prêt. S'il n'en a pas envie, pourquoi insister? Quant à la présence d'un enfant ou d'un adolescent dans la salle d'accouchement où naîtra son petit frère ou sa petite sœur, je suis perplexe. Je doute un peu que cela soit sa place. J'ai peine à comprendre le côté «démonstration», l'aspect «performant» de l'acte de donner naissance. C'est grandiose mais si intime aussi... Enfin, ce sont là mes réserves personnelles. Si l'enfant ou l'ado insiste, peut-être...

Pour ce qui est des adultes exhibitionnistes qui exposent leurs organes génitaux à la vue des petits, et des adultes pédophiles qui pourraient solliciter leurs faveurs sexuelles, cela ne laisse généralement pas de traces chez l'enfant. Moins grande sera la panique du moment si l'enfant a été sensibilisé à ces réalités avant d'y être confronté. Il convient de rappeler à l'enfant qui s'est trouvé en situation de sollicitation sexuelle de toujours s'éloigner en de telles circonstances et d'en informer un adulte en qui il a confiance. On peut leur dire aussi que, tout comme certaines personnes sont malades physiquement, d'autres sont malades dans leurs sentiments et dans leur sexualité.

Je ne saurais trop insister sur l'importance de l'attitude des parents. Dans une circonstance réellement traumatisante pour l'enfant ou l'adolescent, la réaction des proches peut grandement influencer le processus de guérison.

Il faut parler de l'incident malheureux pour l'exorciser, avec beaucoup de tact et de discernement. Je me souviens d'une adolescente de quatorze ans qui avait été violée. Ses parents avaient cru bon d'avertir ses professeurs pour qu'ils tiennent compte de sa fragilité, de son équilibre perturbé.

> *Mon professeur d'éducation physique me donnait l'impression que j'étais un bibelot de porcelaine. Toujours trop pleine de sollicitude: «Tu ne te sens pas bien... Tu ne devrais pas participer à ce jeu violent... Viens plutôt t'asseoir près de moi...»*
> *Je voulais seulement courir avec les autres, me dépenser, faire comme tout le monde, quoi! On aurait dit que tout mon entourage s'acharnait à me convaincre que je ne serais jamais plus la même.*

Voyons maintenant comment les enfants de parents divorcés peuvent ne pas être traumatisés, ne pas être perdants au point de vue de l'éducation sexuelle.

Monoparentalité et éducation sexuelle

Le divorce n'est pas nécessairement une harpie accouchant de petits monstres.

> *De Lauwe, dès 1959, et Rutter, en 1974, ont démontré que les enfants de couples séparés se portent tout aussi bien que les autres et beaucoup mieux que ceux de foyers où la vie est conflictuelle[6].*

Les enfants seront toujours affectés par les relations tendues entre leurs parents, qu'ils soient conjoints ou ex-conjoints. Si le père et la mère continuent de s'occuper de leurs rejetons, ceux-ci comprendront que leurs parents se sont séparés *pour* la vie et non *contre* quelqu'un et, surtout, qu'ils n'ont pas divorcé d'avec eux. On ne divorce pas d'avec ses enfants.

----

6. Rager, C., *Le Temps du divorce*, Casterman, 1982, p. 59.

Certes, cela ne se passe pas toujours bien. Le travail de chaque conjoint, après la séparation, c'est d'accepter d'être soi-même heureux à nouveau, sans l'autre, et malgré le sentiment initial pour l'un d'être rejeté ou abandonné par l'autre. C'est là que le bât blesse, car accepter d'être heureux, c'est reconnaître qu'on a pardonné, ou oublié...

Mettre des mots sur l'absence

Si l'une des figures parentales est manquante ou absente, il faut, encore une fois, mettre des mots sur ce vide, l'expliquer à l'enfant, lui donner des raisons. Des raisons qui n'imputent pas tous les torts à l'absent.

Rien n'est pire que le silence devant l'absence précoce du père ou de la mère. Lorsque le divorce est expliqué à l'enfant, les traces seront constructives plutôt que désorganisatrices. L'enfant se structurera en tenant compte de ce fait. Comment s'en rendre compte? Il en parlera naturellement au lieu de se taire.

Il convient aussi d'être attentif à combler le vide du parent absent en facilitant à l'enfant l'accès à des groupes, clubs sportifs, organismes de loisirs ou de culture qui lui permettront d'intégrer, tout au long de sa croissance, des modèles féminins et masculins.

Dans un autre ordre d'idées, beaucoup d'hommes et de femmes sans conjoint s'interrogent. Un parent seul peut-il assumer sa propre sexualité? En a-t-il le droit? Comment vivre sa sexualité et son affectivité le plus harmonieusement possible sans déranger ses enfants? Trop de femmes chefs de famille se sont littéralement oubliées, coupées de leurs besoins parce que la société leur murmurait sourdement que la responsabilité morale des enfants incombe à la mère et que le fait d'avoir une vie sexuelle serait immoral! L'assimilation de ce message a pu engendrer un déchirement néfaste pour toutes les personnes en cause. Le fait de ne plus être «en couple» ne doit pas déloger la femme ou l'homme qui vit dans le parent. C'est déjà bien assez de se détacher d'un être qu'on a aimé sans se séparer en plus d'une partie de soi-même!

Bien des femmes seules feignent de n'être plus que des mères et dissimulent presque honteusement leurs besoins légitimes de femmes. Combien se cachent littéralement pour vivre leur affectivité et leur sexualité, au compte-gouttes, comme des coupables?

Un renoncement profondément consenti au profit d'une valeur jugée plus importante est une chose; un renoncement «d'apparence» relève davantage de l'abdication, de l'aliénation de son droit de vivre. Et cela ne sert ni la femme ni ses enfants.

Il va de soi qu'un adolescent de treize ou quatorze ans qui aurait toujours vécu seul avec sa mère, apparemment asexuée et asexuelle, serait désarçonné le jour où celle-ci prendrait un amant.

> *Qu'est-ce que tu fais avec lui???*
> *Tu m'abandonnes!*
> *Il est dégoûtant!*
> *Je ne te suffis donc pas!*

Voilà les messages que refléteraient pour la mère les comportements du jeune.

L'enfant qui n'a jamais vu sa mère en femme et en amoureuse n'y comprendrait rien. Il n'aurait jamais vécu la situation triangulaire, jamais eu l'occasion d'être jaloux, bref n'aurait jamais été placé devant une situation «normale».

Un parent séparé, homme ou femme, doit être persuadé de son droit à une vie sexuelle, à moins qu'il n'ait fait vœu de chasteté. Autrement, la frustration découlant de la répression de ses besoins sexuels rejaillirait sur ses enfants: le parent serait trop rigide ou trop indulgent. Et puis, n'est-il pas tentant, quand on est sexuellement et affectivement carencé, de penser: si je suis privé, vous le serez aussi!

Sortir ses amours
du placard

En outre, si vous élevez vos enfants dans l'idée que la sexualité est bonne et belle et qu'ils évoluent dans l'ombre glaciale de votre vide sexo-affectif, que vont-ils y comprendre? C'est comme conseiller à un enfant de manger des légumes verts sans jamais en manger soi-même.

Holà! Je ne prétends pas, si cela est dans votre nature, qu'il faille afficher chacune de vos conquêtes d'un soir à vos enfants. Je soutiens qu'il est légitime de ne pas étouffer vos amours dans le placard.

Eh si votre enfant vous demande:

«Pourquoi Claude dort-il ici si souvent?»

Il n'y a qu'à répondre:

«C'est comme pour toi. Tes amis restent souvent coucher à la maison, non?»

Le jeune enfant demandera rarement si vous faites l'amour.

Et si la fillette poursuit:

«Oui, mais mes amis à moi ce sont des filles...

— Et bien, moi, c'est un garçon et nous avons décidé de mieux nous connaître.»

L'enfant prépubère voudra clarifier davantage la situation. Ne le laissez pas tourner autour du pot.

> *«Tu t'es bien amusé avec Guylaine à la campagne...?*
> *— Oui, nous avons passé un week-end formidable.*
> *— Et tu as eu du plaisir...*
> *— Oui.»*
> *Silence interrogatif.*
> *«Si tu veux dire «Est-ce que vous avez fait l'amour?», la réponse est oui. Nous sommes en train de bâtir une relation dont la sexualité fait partie.»*

Si vous êtes un père seul avec une adolescente, les choses peuvent se compliquer un peu. Les filles se confient peu à leur père, et celui-ci n'a évidemment que son expérience masculine à partager. Il lui est moins naturel de parler de menstruation, de sentiments et d'émotions que mère et fille se confient plus spontanément.

> *Comment un père discuterait-il de sensations fémi-*
> *nines? Dans notre société, et aussi au courant de tout*
> *que nous aimions croire, on peut dire qu'il a de la*
> *chance s'il sait exactement où se trouve le clitoris*[7].

Vous croyez que je viens de faire dire à un homme ce que je pense tout bas? C'est partiellement et tendrement vrai... Trêve d'ironie, les pères solitaires ont tendance à surprotéger leurs filles parce qu'ils ne savent pas comment les rejoindre. Aidez-vous de livres et de substituts féminins adéquats (sœurs, amies, tantes, etc., en qui la fille a confiance).

Sans que ce soit tellement plus facile du côté de la mère avec son adolescent, disons qu'elle est généralement un peu plus renseignée sur la sexualité masculine, la tradition l'ayant désignée pour la prise en charge de l'éducation sexuelle des enfants. Toutefois, il est bien des sujets à propos desquels elle se sentira complètement démunie devant son fils adolescent. La recherche d'un substitut masculin vaut ici aussi.

Un parent seul s'expose, plus encore qu'un couple, à des conflits avec la famille à propos de l'éducation des enfants.

Tout le monde se mêle plus hardiment des affaires d'une famille monoparentale. Une seule chose à faire: décidez fermement de ce qui est bon pour vous et vos enfants; expliquez, si vous le désirez, cette attitude à vos proches. Si on ne vous écoute pas, si on vous contredit et que vous êtes convaincu de faire pour le mieux, continuez votre chemin.

C'est votre vie, vos enfants, votre problème. Faites ce qui vous semble juste et bon. C'est l'attitude la plus saine que vous puissiez adopter.

❖
_____
7. Wells, H.M., *op. cit.*, p. 174.

Chapitre 12

❖

L'éducation sexuelle
à l'école

Depuis une dizaine d'années, le projet d'éducation sexuelle scolaire proposé par le ministère de l'Éducation du Québec (MÉQ) a fait couler beaucoup d'encre. On l'a contesté, défendu, pourfendu, révisé, remisé et finalement adopté contre vents et marées.

Bien qu'il ne soit devenu obligatoire que tout récemment (en 1987 pour le secondaire, en 1989 pour le primaire, si je ne m'abuse), plusieurs commissions scolaires l'avaient déjà mis en application depuis plusieurs années. En fait, il s'agit d'un volet de programme puisque l'éducation à la sexualité constitue l'une des matières du domaine appelé «formation personnelle et sociale» qui comprend aussi l'éducation à la santé, aux relations interpersonnelles, à la consommation et à la vie en société. Environ cinq heures par an sont réservées à l'enseignement de la sexualité.

Un beau et bon programme qui, s'il est combiné à l'éducation sexuelle familiale et adapté aux besoins des jeunes, a des chances de réussir là où la répression a échoué lamentablement.

Pour le bénéfice du parent lecteur, prenons un instant pour en présenter les objectifs.

L'éducation à la sexualité à l'école est axée sur des valeurs chrétiennes: amour épanouissant physiquement et spirituellement, partage et engagement dans le couple, sens des responsabilités dans l'agir sexuel, ouverture à la transcendance... Sur des valeurs humaines: respect et amour de son corps, quête de son identité, acceptation des rôles qui en découlent, sens du plaisir... Sur des valeurs morales et humanistes: respect des autres, des orientations sexuelles, des différences physiques, de la liberté et de l'égalité des sexes[1].

Au primaire, les objectifs généraux cherchent à ce que *«l'élève valorise son corps en tant que réalité sexuée, à ce qu'il soit sensibilisé aux différentes dimensions que comporte la sexualité humaine, à ce qu'il prenne conscience de la dimension sociale de l'expression sexuelle, à ce qu'il comprenne le phénomène de la naissance et soit prévenu contre les différentes formes d'exploitation dont il peut être l'objet».*

Au secondaire, les objectifs généraux visent à ce que *«l'élève développe une image positive de lui-même ainsi que des attitudes éclairées en regard de sa sexualité adolescente, qu'il possède une connaissance éclairée de la relation homme-femme et des responsabilités qui l'accompagnent, qu'il développe des connaissances, des attitudes et des comportements préventifs et clarifie son projet sexuel en fonction de la société dans laquelle il vit[2]».*

---

1. MÉQ, *Programme FPS*, primaire et secondaire, Québec, 1984.
2. MÉQ, *op. cit.*, Programme FPS, 1984.

Une intervention éducative dont la finalité porte sur le développement psychosexuel harmonieux de l'élève. Sur les vingt thèmes couverts au primaire et au secondaire, deux seulement font référence à la prévention[3]: l'exploitation sexuelle et les MTS. À écouter les jeunes qui ont le privilège de recevoir cet enseignement depuis un bon moment, il semble que ce soit à peu près seulement de ces sujets qu'on les informe. Si les enseignants en sexualité peuvent et doivent jouer un rôle dans l'aide à apporter aux victimes d'abus et d'agressions sexuels, ils ne devraient pas, selon les dispositions du programme, se limiter à cela.

La responsabilité de l'école en éducation sexuelle, complémentaire à celle de la famille, ne pose aucun doute. La notion de complémentarité est d'autant plus aléatoire que tous les parents ne s'acquittent pas de cette responsabilité éducative.

Mission possible ou impossible

Je questionne l'application pratique qui a été faite de ce programme jusqu'à maintenant.

- Peu ou pas de concertation entre l'école et la famille; qu'a fait le MÉQ pour assurer cette complémentarité clamée dans tous ses documents?
- Aucune formation d'appoint systématiquement offerte aux enseignants.
- Aucun encadrement formel par une personne qualifiée.
- De façon générale, il y a récupération de l'enseignement de la sexualité par le titulaire de classe pour le primaire, par le professeur de religion ou de pastorale aidé de l'infirmière pour le secondaire; la matière est souvent dispensée par des professeurs qui n'ont pas l'ouverture d'esprit nécessaire

---

3. Gaudreau, L., *Informations générales sur l'éducation sexuelle*, document d'accompagnement pour la formation d'interventants, CQEJ, 1989.

et il arrive qu'elle soit imposée à des enseignants qui l'ont en aversion.

> *En juin 1989, je participais à des journées de forma-*
> *tion offerte par le CQEJ[4] à des intervenants en sexua-*
> *lité de différents milieux (infirmières, enseignants,*
> *intervenants-jeunesse, etc.). À la pause, je bavarde*
> *avec un enseignant de troisième secondaire qui s'est*
> *fait, et je cite: «plaquer la sexualité sur les bras».*
> *«Je suis professeur de géographie depuis vingt ans,*
> *dit-il. Ce n'est pas deux jours de formation qui peu-*
> *vent me rendre apte à enseigner la sexualité, ni qui*
> *vont me donner le goût de cette matière. Je me de-*
> *mande ce que je fais ici!»*

Si les responsables de l'implantation du programme d'éducation sexuelle s'en débarrassent aussi allègrement en le confiant au hasard, le risque est grand de voir ces mandataires le bazarder à leur tour. Qui paiera la note? À peine né, le projet d'éducation à la sexualité risque de se transformer en fourre-tout.

À quoi, à qui sert un beau et bon programme si on ne se donne pas les moyens de le mener à terme?

«Mieux vaut faire de l'éducation sexuelle «à peu près» que pas du tout», me confiait en catimini une personne au demeurant fort honorable. Je m'inscris en faux contre cela. La reconnaissance officielle de la sexualité comme matière intégrée dans une perspective de formation fondamentale serait-elle factice? Vigilance s'impose. Entre pardonner à l'éducation sexuelle scolaire parce qu'elle tâtonne et la laisser devenir une éducation bidon, il y a un pas à ne pas franchir. Il nous faut comprendre et accepter que la sexualité ne s'enseigne pas comme toutes les autres matières; développer la notion d'accompagnement global de l'enfant incluant sa sexualité;

---

4. Le Conseil québécois pour l'enfance et la jeunesse est un organisme à but non lucratif de promotion de la jeunesse.

cesser de demander aux jeunes d'adopter des valeurs d'adultes que bien peu d'adultes assument eux-mêmes[5].

L'éducation sexuelle à l'école est à poursuivre et à supporter à condition: qu'elle soit axée sur un contenu qui intéresse le jeune et le concerne, plutôt que sur des préoccupations adultes; qu'elle soit dispensée à l'aide de méthodes pédagogiques adaptées au jeune et au sujet abordé; qu'elle soit supportée par des intervenants souples, compétents en éducation, en sexologie, connaissant les jeunes et ayant eux-mêmes une saine vision de la sexualité[6]. D'ici là, les parents demeurent les intervenants privilégiés dans l'éducation sexuelle de l'enfant. À eux de concrétiser la complémentarité école-famille prônée par le MÉQ:

• en réclamant des réunions parents-enseignants;
• en s'assurant que le volet sexualité n'est pas escamoté au profit d'autres modules du programme;
• en vérifiant la disposition et la compétence de la personne qui dispense cet enseignement;
• en exigeant que tout le contenu thématique soit couvert;
• en s'informant de *comment* ce contenu est couvert;
• en exigeant, au cas où l'un ou l'autre de ces points n'apporterait pas satisfaction, l'embauche de personnes compétentes, formées pour intervenir en éducation sexuelle: des éducateurs et éducatrices-sexologues.

Si l'une des parties concernées dans ce dossier a un mot à dire, c'est bien le parent. Un Mot avec un M majuscule qui, dans un sens ou dans l'autre, devrait être énoncé clairement. Pour ma part, je me pose depuis trop longtemps, en silence, une question fondamentale sur la congruence du ministère de l'Éducation du Québec. Pourquoi le MÉQ décerne-t-il un permis d'enseignement aux éducateurs-sexologues diplômés pour qu'ils œuvrent dans les écoles tout en les empêchant d'y entrer? Comment peut-on écarter (ou craindre) ceux-là même qu'on forme et qu'on reconnaît qualifiés?

---

5. Désaulniers, M.-P., *op. cit.*
6. Gaudreau, L., *op. cit.*

Je m'en voudrais de rater l'unique occasion qui s'offre à moi de dissiper le nuage qui enveloppe la profession de sexologue.

Je suis sexologue et je m'en glorifie

Clarifions cela tout de suite: un ou une sexologue, c'est «habituellement» quelqu'un de normal. Eh oui!

Vers la fin des années 60, une équipe ayant à sa tête Franz Manouvrier «couvait» la sexologie. L'œuf fut ensuite implanté à l'UQAM, à l'intérieur des sciences de l'éducation, pour éclore en 1974 comme discipline autonome. La sexologie était née. Difficilement. Je ne paraphraserai pas le contenu de la formation sexologique; disons qu'elle est multi-disciplinaire, étudiant la sexualité humaine dans ses aspects biologique, psychologique, affectif, culturel, social, philosophique, éducatif, éthique, etc. Pas question pour elle de couper l'être humain comme un saucisson. Deux profils de formation sont offerts: éducation et *counselling* ou, si vous préférez, thérapie. Deux nouveaux professionnels ont fait leur apparition sur le marché du travail depuis: le sexologue-thérapeute et le sexologue-éducateur. Le premier s'esquinte à soulager la douleur sexuelle des gens; le second s'évertue à ce que les gens n'aient pas à consulter le premier! Le métier est jeune et non protégé encore par l'office des professions; il existe des charlatans qui, hélas, ne contribuent pas toujours à conférer à la sexologie ses lettres de noblesse. Pour ne rien vous cacher, je me suis laissé dire, en France, en Belgique, en Italie et aux États-Unis, que les professionnels québécois de la sexologie étaient parmi les mieux formés au monde. Nul n'est prophète en son pays...

Les sexologues ne sont ni des obsédés sexuels, ni des techniciens de la sexualité, ni des propagandistes du libertinage. Ce sont des hommes et des femmes comme les autres avec leurs ombres et leurs lumières. Ils tentent de se tailler un espace socio-professionnel, d'exercer leurs compétences à bon droit. Ils n'ont pas la partie facile; sur plus de mille diplômés, une minorité seulement travaillent dans leur champ de formation. Parmi la minorité «pratiquante», ceux et celles que je côtoie sont habités

> *de l'humilité d'un sous-diacre*
> *de l'espoir d'un optimiste*
> *du courage du héros*
> *de la patience de Job*
> *de la grâce de Dieu*
> *et de la persévérance du démon*[7].

Personnellement, je me désole qu'on fasse appel à eux presque exclusivement en situation de crise. S'ils sont les plus compétents pour intervenir dans les dossiers des MTS, des agressions, de l'inceste et de la contraception, ils sont aussi les mieux qualifiés pour promouvoir la qualité de vie, la santé sexuelle et affective, la responsabilité. À quelques rares exceptions près, les éducateurs-sexologues n'œuvrent pas dans le milieu scolaire. Alors, je vous en prie, si vous êtes sceptique, inquiet ou insatisfait de la qualité de l'enseignement sexologique reçu par votre enfant, ne lapidez pas la mauvaise cible. Par surcroît, ils sont souvent engagés pour réparer les dégâts causés par de mauvaises interventions sexologiques improvisées à la petite semaine.

Et puis, je meurs d'envie de le dire: ce ne sont pas eux qui exploitent le commerce de la pornographie ou le marché de la prostitution, qui tirent les cordons de la bourse de la consommation sexuelle, qui avilissent et qui cultivent la violence!

Je n'ai jamais eu vent, non plus, d'aucune accusation d'abus sexuel portée contre un sexologue, ni d'incitation à l'indécence, ni de tentative de sodomie ou de quelque autre comportement de cet acabit. J'ai l'air de béatifier les sexologues, et cela n'est pas mon intention; seulement, j'en ai un peu soupé de les voir se faire éclabousser indûment et de me taire.

---

7. Manley, J., *Teacher selection for Sex Education*, 1986, cit. par L. Gaudreau.

Je souhaite qu'on cesse de percevoir confusément la profession, de la galvauder. Je voudrais aussi orienter le faisceau lumineux là où est l'opacité. Faut-il rebaptiser les sexologues pour qu'on cesse de les craindre? Humanologues... globalologues... gynéandrologues...? Si on redoute la sexologie parce que, comme science, elle est séparée du discours religieux, on devrait craindre toutes les sciences car elles le sont toutes. De plus la sexologie n'est pas l'éducation sexuelle.

Encore dernièrement, au cours d'une ligne ouverte à la radio, un auditeur me tympanise: «*Depuis que les sexologues sont dans les écoles, tout va plus mal que jamais...*» Ils n'y sont pas et n'y ont jamais été! Et ce, pour diverses raisons dont certaines sont syndicales et politiques. Si jamais ils y viennent, on pourra s'en reparler. Quoi qu'il en soit, merci à cet auditeur; il m'a chuchoté l'importance de faire une mise au point. L'éducateur-sexologue ne professe pas le sexe, il proclame la vie dont la sexualité est à la source même. Une dernière chose à propos de l'éducation sexuelle, de la sexologie, des sexologues et des éducateurs-sexologues. D'aucuns croient que la sexologie n'a pas le monopole de la vérité en sexualité. C'est indéniable. Pourtant, quand Marie-Paule Désaulniers[8] décrit le profil de l'éducateur à la sexualité en milieu scolaire:

> (...) *la capacité d'analyser ses motivations à faire de l'éducation sexuelle, la capacité de regarder sa propre vie, de reconnaître ses intérêts sexuels et de les dissocier de ceux des jeunes...*

elle décrit, mieux que je n'aurais su le faire, le cheminement qu'a forcément amorcé l'éducateur-sexologue pendant trois, quatre ou cinq ans de réflexion universitaire. J'ai peine à croire que cette conscientisation puisse se faire en quelques heures de formation sur le tas quand formation sur le tas il y a. *Regarder sa propre vie*, cela peut être l'histoire d'une vie. Enfin...

---

8. *Op. cit.*

Loin de moi l'idée que la sexualité appartient aux sexologues. La sexualité appartient à chaque être humain. Cependant, la sexologie appartient aux sexologues, la gynécologie aux gynécologues, la psychologie aux psychologues, l'éducation aux éducateurs et l'éducation sexuelle scolaire aux éducateurs-sexologues. Cela me paraît logique. Jamais un éducateur-sexologue, si compétent soit-il, n'aura le potentiel du parent pour rejoindre l'enfant de façon significative. Mais l'espace complémentaire en ce domaine, occupé par tout un chacun et trop souvent à la va-comme-je-te-pousse, est le terrain qui lui est tout désigné.

Vous imaginez un peu ce qui se produirait si, sous prétexte que je suis une femme, que j'ai des connaissances gynécologiques supérieures à la moyenne et que je connais les organes sexuels féminins, je m'improvisais gynécologue? Moi si: je ferais des dégâts. Vous trouvez la comparaison un peu grosse? Pas tant que cela. La seule différence c'est que mes bêtises seraient visibles et identifiables. Quand on s'improvise éducateur à la sexualité, à l'école, les dommages ne sautent pas aux yeux; encore une fois, ce qui est mesurable n'est pas toujours l'essentiel.

Tout compte fait, il n'y a pas de réponses toutes faites, et tout le monde en cherche. Pas un être humain, ni même un groupe d'êtres humains formés de la même façon, ne peut apporter de réponses qui devraient être gobées par les autres sous prétexte qu'elles viennent de *quelqu'un qui sait.*

> *Chacun se forme d'après ses expériences. Tout savoir reflète la façon dont quelqu'un s'est défendu de ses angoisses et n'est pas une réponse utilisable pour un autre...*[9]

Les éducateurs-sexologues n'ont pas de réponses. Mais le profil de leur formation professionnelle les a amenés à poser des questions et à témoigner. Leur écoute, moins angoissée,

9. Dolto, F., «Information et éducation sexuelle», in *Parents et maîtres* (1973), cité dans *L'Échec scolaire*, Ergo Press, 1989.

permet de faire émerger chez l'autre (le jeune) certains aspects de ses questions qui autrement seraient voilés, ce qui le rassure et qui fait apparaître **ses** propres réponses.

À chacun sa vérité. Avec un tout petit v.

Le mot du commencement

La sexualité n'est pas tout, la sexualité est

Nous voici au terme de cette traversée de la région la moins explorée du continent sexuel: celle de l'affectivité.

Je ne me suis pas attardée à décrire les paysages familiers. Les informations coulent à grands flots sur les aspects anatomique, physiologique, contraceptif et préventif de la sexualité.

On en avale parfois quelques bouillons qui ralentissent la nage.

Mon engagement en éducation sexuelle auprès des jeunes et des moins jeunes m'a amenée à croire que le besoin était ailleurs. Aussi ai-je tenté d'illustrer et de combler un tant soit peu ce besoin affectif par des faits et des anecdotes tirés de ma vie professionnelle et personnelle, l'une n'allant pas sans l'autre. Un regard exploratoire, j'en suis des plus conscientes, et teinté de cette émotion immanente au désir de rencontrer l'autre regard: celui du «regardé».

Un désert à refleurir

Le désert du dialogue parent-enfant sur un sujet aussi vital est à refleurir. Si le succès scolaire et la réussite sociale sont des tremplins pour la satisfaction personnelle, l'épanouissement affectif et sexuel est la locomotive qui conduit vers la plénitude.

Parler de la pilule aux filles, dire «attention» aux garçons, c'est trop peu. Échanger des propos sur le plaisir de grandir, de découvrir et de se prendre en main, discuter de la sexualité, la situer dans un projet personnel qui donne un sens à la vie ne contrarie et n'altère pas le respect du jardin secret de chacun.

Cette liberté d'expression prendrait naturellement place à l'adolescence si la communication se nouait dès la petite enfance, par la parole et par le geste. En dépit de cela, peurs, tabous et habitudes sont, tant que la vie nous anime, surmontables. Le dialogue tardivement instauré est préférable à l'immobilisme. Les enjeux de ce bout de chemin qu'il vous reste à parcourir avec votre adolescent valent peut-être bien des chandelles.

Accompagner votre enfant dans son devenir sexuel peut lui éviter de s'empêtrer dans des difficultés qui autrement l'empêcheraient de se consacrer à des projets plus vastes et plus créatifs. C'est peut-être lui donner l'élan dont il a besoin pour passer du rôle de spectateur à celui d'acteur et d'auteur de sa propre vie.

Comment savoir si, libérés de la peur, les jeunes ne se mettraient pas à agir sur le monde plutôt que de laisser le monde agir sur eux?

Un virage porteur d'espoir

La sexualité des enfants et des adolescents n'appartient ni à leurs parents, ni à leurs professeurs, ni aux sexologues, ni aux auteurs de livres.

La sexualité des jeunes leur appartient. Tout au plus pouvons-nous les accompagner, faire équipe ensemble pour un bonheur plus grand et, qui sait, grandir avec eux. C'est tout. C'est beaucoup.

La démarche proposée est incertaine, mais porteuse d'espoir, de surprises, d'étonnement.

C'est le premier pas qui coûte: changer notre manière d'aborder la sexualité présuppose fatalement que l'on se change un peu soi-même.

❖

Bibliographie

BEAULAC et al, *Formation personnelle et sociale*, Manuel de l'élève, éd. McGraw-Hill, Montréal, 1986.

C.E.Q., «L'Éducation sexuelle» in *L'Alliance*, vol. IV, n° 4, 1987.

CHAMPAGNE-GILBERT, Maurice, *La Famille et l'homme à libérer du pouvoir*, éd. Leméac, Montréal, 1980.

C.N.A.J. (Centre national d'aide à la jeunesse), *Parents et adolescents, une relation à inventer*, éd. Prospective jeunesse, Bruxelles, 1988.

Comité de la protection de la jeunesse:
La Sexualité: vécu et opinion d'un groupe de jeunes, Québec, 1982.
Les enfants mal aimés. On en retrouve dans votre quartier et chez vous... Réagissons. Québec, 1986.
L'inceste, une histoire à 3 et plus, Montréal, 1982.

Comité sur les infractions sexuelles au Canada, Ottawa, 1984, vol. 1.

C.Q.E.J. (Conseil québécois pour l'Enfance et la Jeunesse), *«L'Éducation sexuelle auprès des adolescents:* état d'urgence», in *Apprentissage et socialisation,* vol. 11, Montréal, 1988.

DÉSAULNIERS, Marie-Paule, «La Place des valeurs en éducation sexuelle» in *Apprentissage et socialisation*, C.Q.E.J., vol. 11, Montréal, 1988.

DOLTO, Françoise, «Et l'enfant, Françoise Dolto?», in *Châtelaine*, 1988.

DOLTO, Françoise, «Information et éducation sexuelle», in *Parents et maîtres (1973)*, citée dans *L'Échec scolaire*, Ergo press, Vertige du nord, Paris, 1989.

DOLTO, Françoise, «*L'Éducation quotidienne vue par Françoise Dolto*», Notes de stage-maîtrise: ÉDU 7710.

DORAIS, Michel, *Les Lendemains de la révolution sexuelle*, éd. Prétexte, Montréal, 1986.

DORMAN, Marsha, KLEIN, Diane, *L'Enfant paraît...*, éd. de l'Homme, Montréal, 1986.

DUPRAS, André, LÉVIS, Joseph Josy, COHEN, Henri *et al*, *Jeunesse et sexualité*, Actes du colloque, éd. Iris, Montréal, 1986.

FINKELHOR, D., «*Sexually*» *Victimised Children*, The Press, N.Y., 1979.

GAUDREAU, Louise, *Informations générales sur l'éducation sexuelle*, document d'accompagnement pour la formation d'intervenants, C.Q.E.J., Montréal, 1989.

GILBERT, France, *Texte sur les valeurs*, UQAM, Montréal, 1988.

GIBRAN, Khalil, *Le Prophète*, (1923), Casterman, Paris, 1956.

JOHANSON, Sue, *Parlons sexe*, éd. Héritage, Montréal, 1989.

LAMOUREUX, Marie-Christine, «L'attaque des *Macdo* du décibel», in *Apprentissage et socialisation*, vol. II, n° 1, 1988.

Le groupe familial, *Domicile séparé, familles à la carte?*, éd. FNEPE-services, Paris, 1988.

LE TARTE, Georges, *La Sexualité des enfants et des adolescents nous interpelle: comment y faire face?*, conférence CQEJ, Montréal, 1988.

LOWEN, Alexander, *Le Plaisir*, éd. Tchou, Paris, 1976.

MARCELLI, Daniel, «La pudeur nécessaire», in *Famille magazine*, n° 11, octobre 1988.

M.É.Q., *Programme FPS*, primaire et secondaire, Québec, 1984.

MONTAGU, Ashley, *Touching; the human significance of the skin*, Columbia University Press, New York, 1971.

PLANNED PARENTHOOD OF AMERICA, *Comment discuter de sexualité avec votre enfant*, éd. La Presse, Montréal, 1988.

RAGER, Catherine, *Des Enfants obéissants... notre rêve*, éd. Du Centurion, Paris, 1975.

RAGER, Catherine, *Le Temps du divorce*, éd. Casterman, Paris, 1982.

ROBERT, Jocelyne, *Haro sur la sexualité adolescente*, texte de conférence, 1988.

ROBERT, Jocelyne, *La Sexualité des enfants en camp de vacances*, texte de conférence, 1989.

ROBERT, Jocelyne, *La Sexualité en institution: le tabou des tabous*, texte de conférence, 1986.

ROBERT, Jocelyne, *L'Éducation sexuelle auprès des enfants de 12 ans et moins: un art à inventer*, texte de conférence, 1988.

ROBERT, Jocelyne, *Le Féminisme: humanisme renouvelé*, essai sur le féminisme, Grand prix Yvette-Rousseau, Sénat canadien, 1985.

ROBERT, Jocelyne, JACOB, Jo-Anne, *Ma Sexualité de 0 à 6 ans*, Éd. de l'Homme, 1986.

ROBERT, Jocelyne, *Ma Sexualité de 6 à 9 ans*, éd. de l'Homme, 1985.

ROBERT, Jocelyne, *Ma Sexualité de 9 à 12 ans*, éd. de l'Homme, 1985.

ROBERT, Jocelyne, *Pour Jeunes seulement, Photoroman d'éducation à la sexualité*, éd. de l'Homme, 1988.

RUFFO, Andrée, *Parce que je crois aux enfants*, éd. de l'Homme, Montréal, 1988.

SAMSON, Jean-Marc, «Les Valeurs sexuelles des jeunes», in *Jeunesse et sexualité*, éd. Iris, 1985.

TESSIER, Monique, *Sexualité et prévention, d'abord l'affaire des jeunes*, BCJ, Montréal, 1985.

VAN USSEL, Jos, *Histoire de la répression sexuelle*, éd. Laffont, Paris, 1972.

WELLS, H. M., *Le Droit de votre enfant à la sexualité*, éd. Renaissance, Paris, 1977.

WEDEKIN, Frank, *L'Éveil du printemps*, tragédie enfantine (1891), éd. Gallimard, Paris, 1974.

Bulletins de l'Association des sexologues du Québec
  Sexualité et pornographie, vol. VIII, n° 3, 1986.
  Interventions en éducation sexuelle, vol. VIII, n° 2, 1986.
  L'Avenir de la sexualité, vol. X, n° 3, 1989.
  Sexualité et retour au conservatisme, vol. IX, n° 1, 1987.

Chantiers en mouvement, vol. II, n° 4, 1989.
Famille Magazine, n° 11, octobre 1988.
L'Actualité, juin 1989.
L'Alliance, CEQ, L'éducation sexuelle, vol. IV, n° 4, 1987.

Table des matières

Ouvrages parus chez les éditeurs du groupe Sogides

LES ÉDITIONS DE L'HOMME

AFFAIRES

* **Acheter une franchise,**
  Levasseur, Pierre
* **Bourse, La,** Brown, Mark
* **Comprendre le marketing,**
  Levasseur, Pierre
* **Devenir exportateur,** Levasseur, Pierre
  Étiquette des affaires, L',
  Jankovic, Elena
* **Faire son testament soi-même,**
  Poirier, Me Gérald et
  Lescault-Nadeau, Martine
  Finances, Les, Hutzler, Laurie H.
  Gérer ses ressources humaines,
  Levasseur, Pierre

  Gestionnaire, Le, Colwell, Marian
  Informatique, L', Cone, E. Paul
* **Lancer son entreprise,**
  Levasseur, Pierre
  Leadership, Le, Cribbin, James
  Meeting, Le, Holland, Gary
  Mémo, Le, Reinold, Cheryl
* **Ouvrir et gérer un commerce de détail,**
  Roberge, C.-D. et Charbonneau, A.
  Patron, Le, Reinold, Cheryl
* **Stratégies de placements,**
  Nadeau, Nicole

ANIMAUX

  Art du dressage, L', Chartier, Gilles
  Cheval, Le, Leblanc, Michel
  Chien dans votre vie, Le, Margolis, M. et
  Swan, C.
  Éducation du chien de 0 à 6 mois, L',
  DeBuyser, Dr Colette et
  Dehasse, Dr Joël
* **Encyclopédie des oiseaux,**
  Godfrey, W. Earl
  Guide de l'oiseau de compagnie, Le,
  Dr R. Dean Axelson
  Guide des oiseaux, Le, T.1,
  Stokes, W. Donald
  Guide des oiseaux, Le, T.2,
  Stokes, W. Donald et
  Stokes, Q. Lilian

* **Mon chat, le soigner, le guérir,**
  D'Orangeville, Christian
  Observations sur les mammifères,
  Provencher, Paul
* **Papillons du Québec, Les,**
  Veilleux, Christian et
  Prévost, Bernard
  Petite ferme, T.1, Les animaux,
  Trait, Jean-Claude
  Vous et vos oiseaux de compagnie,
  Huard-Viau, Jacqueline
  Vous et vos poissons d'aquarium,
  Ganiel, Sonia
  Vous et votre beagle, Eylat, Martin
  Vous et votre berger allemand,
  Eylat, Martin

ANIMAUX

Vous et votre boxer, Herriot, Sylvain
Vous et votre braque allemand,
Eylat, Martin
Vous et votre caniche, Shira, Sav
Vous et votre chat de gouttière,
Mamzer, Annie
Vous et votre chat tigré, Eylat, Odette
Vous et votre chihuahua, Eylat, Martin
Vous et votre chow-chow,
Pierre Boistel
Vous et votre cocker américain,
Eylat, Martin
Vous et votre collie, Éthier, Léon
Vous et votre dalmatien, Eylat, Martin
Vous et votre danois, Eylat, Martin
Vous et votre doberman, Denis, Paula
Vous et votre fox-terrier, Eylat, Martin
Vous et votre golden retriever,
Denis, Paula
Vous et votre husky, Eylat, Martin

Vous et votre labrador,
Van Der Heyden, Pierre
Vous et votre lévrier afghan,
Eylat, Martin
Vous et votre lhassa apso,
Van Der Heyden, Pierre
Vous et votre persan, Gadi, Sol
Vous et votre petit rongeur,
Eylat, Martin
Vous et votre schnauzer, Eylat, Martin
Vous et votre serpent, Deland, Guy
Vous et votre setter anglais,
Eylat, Martin
Vous et votre shih-tzu, Eylat, Martin
Vous et votre siamois, Eylat, Odette
Vous et votre teckel, Boistel, Pierre
Vous et votre terre-neuve,
Pacreau, Marie-Edmée
Vous et votre yorkshire,
Larochelle, Sandra

ARTISANAT/BRICOLAGE

Art du pliage du papier, L',
Harbin, Robert
* Artisanat québécois, T.1, Simard, Cyril
* Artisanat québécois, T.2, Simard, Cyril
* Artisanat québécois, T.3, Simard, Cyril
* Artisanat québécois, T.4, Simard, Cyril
et Bouchard, Jean-Louis
* Construire des cabanes d'oiseaux,
Dion, André

* Encyclopédie de la maison québécoise,
Lessard, Michel et Villandré, Gilles
* Encyclopédie des antiquités,
Lessard, Michel et Marquis, Huguette
* J'apprends à dessiner, Nassh, Joanna
Taxidermie moderne, La, Labrie, Jean
* Tissage, Le, Grisé-Allard, Jeanne et
Galarneau, Germaine
Vitrail, Le, Bettinger, Claude

BIOGRAPHIES

* Brian Orser - Maître du triple axel,
Orser, Brian et Milton, Steve
* Dans la fosse aux lions, Chrétien, Jean
* Dans la tempête, Lachance, Micheline
* Duplessis, T.1 - L'ascension,
Black, Conrad
* Duplessis, T.2 - Le pouvoir,
Black, Conrad
* Ed Broadbent - La conquête obstinée
du pouvoir, Steed, Judy
* Establishment canadien, L',
Newman, Peter C.
* Larry Robinson, Robinson, Larry et
Goyens, Chrystian
* Michel Robichaud - Monsieur Mode,
Charest, Nicole

* Monopole, Le, Francis, Diane
* Nouveaux riches, Les,
Newman, Peter C.
* Paul Desmarais - Un homme et son em-
pire, Greber, Dave
* Plamondon - Un cœur de rockeur,
Godbout, Jacques
* Prince de l'Église, Le, Lachance, Micheline
* Québec Inc., Fraser, M.
* Rick Hansen - Vivre sans frontières,
Hansen, Rick et Taylor, Jim
* Saga des Molson, La, Woods, Shirley
* Sous les arches de McDonald's,
Love, John F.
* Trétiak, entre Moscou et Montréal,
Trétiak, Vladislav

BIOGRAPHIES

* Une femme au sommet - Son
  excellence Jeanne Sauvé,
  Woods, Shirley E.

CARRIÈRE/VIE PROFESSIONNELLE

* Choix de carrières, T.1, Milot, Guy
* Choix de carrières, T.2, Milot, Guy
* Choix de carrières, T.3, Milot, Guy
  Comment rédiger son curriculum vitae,
  Brazeau, Julie
  Guide du succès, Le, Hopkins, Tom
* Je cherche un emploi, Brazeau, Julie
  Parlez pour qu'on vous écoute,
  Brien, Michèle

  Relations publiques, Les, Doin, Richard
  et Lamarre, Daniel
  Techniques de vente par téléphone,
  Porterfield, J.-D.
* Test d'aptitude pour choisir sa carrière,
  Barry, Linda et Gale
  Une carrière sur mesure,
  Lemyre-Desautels, Denise
  Vente, La, Hopkins, Tom

CUISINE

* À table avec Sœur Angèle,
  Sœur Angèle
* Art d'apprêter les restes, L',
  Lapointe, Suzanne
  Barbecue, Le, Dard, Patrice
* Biscuits, brioches et beignes,
  Saint-Pierre, A.
* Boîte à lunch, La,
  Lambert-Lagacé, Louise
  Brunches et petits déjeuners en fête,
  Bergeron, Yolande
  100 recettes de pain faciles à réaliser,
  Saint-Pierre, Angéline
* Confitures, Les, Godard, Misette
  Congélation de A à Z, La, Hood, Joan
  Congélation des aliments, La,
  Lapointe, Suzanne
  Conserves, Les, Sœur Berthe
  Crème glacée et sorbets, Lebuis, Yves
  et Pauzé, Gilbert
  Crêpes, Les, Letellier, Julien
  Cuisine au wok, Solomon, Charmaine
  Cuisine aux micro-ondes 1 et
  2 portions, Marchand, Marie-Paul
* Cuisine chinoise traditionnelle, La,
  Chen, Jean
* Cuisine créative Campbell, La,
  Cie Campbell
  Cuisine facile aux micro-ondes,
  Saint-Amour, Pauline
* Cuisine joyeuse de Sœur Angèle, La,
  Sœur Angèle
  Cuisine micro-ondes, La, Benoît, Jehane

* Cuisine santé pour les aînés,
  Hunter, Denyse
  Cuisiner avec le four à convection,
  Benoît, Jehane
* Cuisiner avec les champignons sau-
  vages du Québec, Leclerc, Claire L.
  Faire son pain soi-même,
  Murray Gill, Janice
* Faire son vin soi-même,
  Beaucage, André
  Fine cuisine aux micro-ondes, La,
  Dard, Patrice
  Fondues et flambées de maman
  Lapointe, Lapointe, Suzanne
  Fondues, Les, Dard, Patrice
  Je me débrouille en cuisine,
  Richard, Diane
  Livre du café, Le, Letellier, Julien
  Menus pour recevoir, Letellier, Julien
  Muffins, Les, Clubb, Angela
  Nouvelle cuisine micro-ondes I, La,
  Marchand, Marie-Paul et
  Grenier, Nicole
  Nouvelles cuisine micro-ondes II, La,
  Marchand, Marie-Paul et
  Grenier, Nicole
  Omelettes, Les, Letellier, Julien
  Pâtes, Les, Letellier, Julien
* Pâtisserie, La, Bellot, Maurice-Marie
* Recettes au blender, Huot, Juliette
* Recettes de gibier, Lapointe, Suzanne
* Robot culinaire, Le, Martin, Pol

DIÉTÉTIQUE

Combler ses besoins en calcium,
  Hunter, Denyse
* Compte-calories, Le, Brault-Dubuc, M.
  et Caron Lahaie, L.
* Cuisine du monde entier avec Weight
  Watchers, Weight Watchers
Cuisine sage, Une, Lambert-Lagacé,
  Louise
Défi alimentaire de la femme, Le,
  Lambert-Lagacé, Louise
* Diète Rotation, La, Katahn, Dr Martin
* Diététique dans la vie quotidienne,
  Lambert-Lagacé, Louise
Livre des vitamines, Le, Mervyn, Leonard
Menu de santé, Lambert-Lagacé, Louise
Oubliez vos allergies, et... bon appétit,
  Association de l'information sur les
  allergies

* Petite et grande cuisine végétarienne,
  Bédard, Manon
* Plan d'attaque Weight Watchers, Le,
  Nidetch, Jean
* Plan d'attaque Plus Weight Watchers,
  Le, Nidetch, Jean
* Régimes pour maigrir,
  Beaudoin, Marie-Josée
Sage bouffe de 2 à 6 ans, La,
  Lambert-Lagacé, Louise
* Weight Watchers - Cuisine rapide et
  savoureuse, Weight Watchers
* Weight Watchers - Agenda 85 -
  Français, Weight Watchers
* Weight Watchers - Agenda 85 -
  Anglais, Weight Watchers
* Weight Watchers - Programme -
  Succès Rapide, Weight Watchers

ENFANCE

* Aider son enfant en maternelle,
  Pedneault-Pontbriand, Louise
Années clés de mon enfant, Les,
  Caplan, Frank et Thérèsa
Art de l'allaitement maternel, L',
  Ligue internationale La Leche
Avoir un enfant après 35 ans,
  Robert, Isabelle
Bientôt maman, Whalley, J., Simkin, P.
  et Keppler, A.
Comment nourrir son enfant,
  Lambert-Lagacé, Louise
Deuxième année de mon enfant, La,
  Caplan, Frank et Thérèsa
Développement psychomoteur du
  bébé, Calvet, Didier
Douze premiers mois de mon enfant,
  Les, Caplan, Frank
* En attendant notre enfant,
  Pratte-Marchessault, Yvette
* Enfant unique, L', Peck, Ellen
Évoluer avec ses enfants,
  Gagné, Pierre-Paul
Exercices aquatiques pour les futures
  mamans, Dussault, J. et Demers, C.
* Femme enceinte, La,
  Bradley, Robert A.

* Futur père, Pratte-Marchessault, Yvette
Jouons avec les lettres,
  Doyon-Richard, Louise
Langage de votre enfant, Le,
  Langevin, Claude
Mal des mots, Le, Thériault, Denise
Manuel Johnson et Johnson des
  premiers soins, Le, Rosenberg,
  Dr Stephen N.
Massage des bébés, Le,
  Auckette, Amédia D.
Mon enfant naîtra-t-il en bonne santé?
  Scher, Jonathan et Dix, Carol
* Pour bébé, le sein ou le biberon?
  Pratte-Marchessault, Yvette
* Pour vous future maman, Sekely, Trude
Préparez votre enfant à l'école,
  Doyon-Richard, Louise
Psychologie de l'enfant de 0 à 10 ans,
  Cholette-Pérusse, Françoise
Respirations et positions
  d'accouchement, Dussault, Joanne
Soins de la première année de bébé,
  Les, Kelly, Paula
Tout se joue avant la maternelle,
  Ibuka, Masaru

ÉSOTÉRISME

Avenir dans les feuilles de thé, L,
    Fenton, Sasha
Graphologie, La, Santoy, Claude
Interprétez vos rêves, Stanké, Louis
Lignes de la main, Stanké, Louis

Lire dans les lignes de la main,
    Morin, Michel
Vos rêves sont des miroirs, Cayla, Henri
Votre avenir par les cartes,
    Stanké, Louis

HISTOIRE

* Arrivants, Les, Collectif
* Civilisation chinoise, La, Guay, Michel
* Or des cavaliers thraces, L',
    Palais de la civilisation

* Samuel de Champlain,
    Armstrong, Joe C.W.

JARDINAGE

* Chasse-insectes pour jardins, Le,
    Michaud, O.
* Comment cultiver un jardin potager,
    Trait, J.-C.
* Encyclopédie du jardinier,
    Perron, W. H.
* Guide complet du jardinage,
    Wilson, Charles
J'aime les azalées, Deschênes, Josée
J'aime les cactées, Lamarche, Claude
J'aime les rosiers, Pronovost, René
J'aime les tomates, Berti, Victor

J'aime les violettes africaines,
    Davidson, Robert
Jardin d'herbes, Le, Prenis, John
* Je me débrouille en aménagement
    extérieur, Bouillon, Daniel et
    Boisvert, Claude
* Petite ferme, T.2- Jardin potager,
    Trait, Jean-Claude
* Plantes d'intérieur, Les, Pouliot, Paul
* Techniques de jardinage, Les,
    Pouliot, Paul
Terrariums, Les, Kayatta, Ken

JEUX/DIVERTISSEMENTS

* Améliorons notre bridge,
    Durand, Charles
* Bridge, Le, Beaulieu, Viviane
* Clés du scrabble, Les, Sigal, Pierre A.
Dictionnaire des mots croisés, noms
    communs, Lasnier, Paul
Dictionnaire des mots croisés, noms
    propres, Piquette, Robert
Dictionnaire raisonné des mots croisés,
    Charron, Jacqueline

* Jouons ensemble, Provost, Pierre
Livre des patiences, Le, Bezanovska, M.
    et Kitchevats, P.
Monopoly, Orbanes, Philip
* Ouverture aux échecs, Coudari, Camille
* Scrabble, Le, Gallez, Daniel
Techniques du billard, Morin, Pierre

LINGUISTIQUE

Anglais par la méthode choc, L',
    Morgan, Jean-Louis
J'apprends l'anglais, Sillicani, Gino et
    Grisé-Allard, Jeanne

* Secrétaire bilingue, La, Lebel, Wilfrid

LIVRES PRATIQUES

* **Acheter ou vendre sa maison,**
  Brisebois, Lucille
* **Assemblées délibérantes, Les,**
  Girard, Francine
  Chasse-insectes dans la maison, Le,
  Michaud, O.
  Chasse-taches, Le, Cassimatis, Jack
* **Comment réduire votre impôt,**
  Leduc-Dallaire, Johanne
* **Guide de la haute-fidélité, Le,**
  Prin, Michel
  **Je me débrouille en aménagement
  intérieur,** Bouillon, Daniel et
  Boisvert, Claude
  Livre de l'étiquette, Le, du Coffre,
  Marguerite
* **Loi et vos droits, La,**
  Marchand, Me Paul-Émile
* **Maîtriser son doigté sur un clavier,**
  Lemire, Jean-Paul
* **Mécanique de mon auto, La,** Time-Life
* **Mon automobile,** Collège Marie-Victorin
  et Gouv. du Québec

  **Notre mariage (étiquette et
  planification),**
  du Coffre, Marguerite
* **Petits appareils électriques,**
  Collaboration
  Petit guide des grands vins, Le,
  Orhon, Jacques
* **Piscines, barbecues et patio,**
  Collaboration
* **Roulez sans vous faire rouler, T.3,**
  Edmonston, Philippe
  Séjour dans les auberges du Québec,
  Cazelais, Normand et
  Coulon, Jacques
  Se protéger contre le vol,
  Kabundi, Marcel et
  Normandeau, André
* **Tout ce que vous devez savoir sur le
  condominium,** Dubois, Robert
  Univers de l'astronomie, L',
  Tocquet, Robert
  Week-end à New York, Tavernier-
  Cartier, Lise

MUSIQUE

Chant sans professeur, Le,
Hewitt, Graham
Guitare, La, Collins, Peter
Guitare sans professeur, La,
Evans, Roger

Piano sans professeur, Le, Evans, Roger
Solfège sans professeur, Le,
Evans, Roger

NOTRE TRADITION

* **Encyclopédie du Québec, T.2,**
  Landry, Louis
  Généalogie, La, Faribeault-Beauregard,
  M. et Beauregard Malak, E.
* **Maison traditionnelle au Québec, La,**
  Lessard, Michel

* **Moulins à eau de la vallée du Saint-
  Laurent, Les,** Villeneuve, Adam
* **Sculpture ancienne au Québec, La,**
  Porter, John R. et Bélisle, Jean
* **Temps des fêtes au Québec, Le,**
  Montpetit, Raymond

PHOTOGRAPHIE

**Apprenez la photographie avec
Antoine Désilets,** Désilets, Antoine
8/Super 8/16, Lafrance, André
Fabuleuse lumière canadienne,
Hines, Sherman
* **Initiation à la photographie,**
  London, Barbara

* **Initiation à la photographie-Canon,**
  London, Barbara
* **Initiation à la photographie-Minolta,**
  London, Barbara
* **Initiation à la photographie-Nikon,**
  London, Barbara

PHOTOGRAPHIE

* **Initiation à la photographie-Olympus,**
  London, Barbara
* **Initiation à la photographie-Pentax,**
  London, Barbara

Photo à la portée de tous, La,
Désilets, Antoine

PSYCHOLOGIE

Aider mon patron à m'aider,
Houde, Eugène
* **Amour de l'exigence à la préférence,**
  L', Auger, Lucien
Apprivoiser l'ennemi intérieur,
Bach, Dr G. et Torbet, L.
Art d'aider, L', Carkhuff, Robert R.
Auto-développement, L', Garneau, Jean
* **Bonheur au travail, Le,** Houde, Eugène
Bonheur possible, Le, Blondin, Robert
**Ces hommes qui méprisent les
femmes... et les femmes qui les
aiment,** Forward, Dr S. et
Torres, J.
**Changer ensemble, les étapes du
couple,** Campbell, Suzan M.
Chimie de l'amour, La,
Liebowitz, Michael
Comment animer un groupe,
Office Catéchèse
Comment déborder d'énergie,
Simard, Jean-Paul
Communication dans le couple, La,
Granger, Luc
**Communication et épanouissement
personnel,** Auger, Lucien
Contact, Zunin, L. et N.
**Découvrir un sens à sa vie avec la logo-
thérapie,** Frankl, D^r V.
* **Dynamique des groupes,** Aubry, J.-M.
  et Saint-Arnaud, Y.
**Élever des enfants sans perdre la
boule,** Auger, Lucien
Enfants de l'autre, Les, Paris, Erna
Être soi-même, Corkille Briggs, D.
Facteur chance, Le, Gunther, Max
Infidélité, L', Leigh, Wendy
Intuition, L', Goldberg, Philip
* **J'aime,** Saint-Arnaud, Yves
Journal intime intensif, Le, Progoff, Ira
Mensonge amoureux, Le,
Blondin, Robert
Parce que je crois aux enfants,
Ruffo, Andrée

Parle-moi... j'ai des choses à te dire,
Salomé, Jacques
**Perdant / Gagnant - Réussissez vos
échecs,** Hyatt, Carole et
Gottlieb, Linda
* **Personne humaine, La ,**
  Saint-Arnaud, Yves
* **Plaisirs du stress, Les,**
  Hanson, Dr Peter, G.
**Pourquoi l'autre et pas moi? - Le droit
à la jalousie,** Auger, Dr Louise
Prévenir et surmonter la déprime,
Auger, Lucien
* **Prévoir les belles années de la retraite,**
  D. Gordon, Michael
* **Psychologie de l'amour romantique,**
  Branden, D^r N.
Puissance de l'intention, La,
Leider, R.-J.
S'affirmer et communiquer, Beaudry,
Madeleine et Boisvert, J.R.
S'aider soi-même, Auger, Lucien
S'aider soi-même d'avantage,
Auger, Lucien
* **S'aimer pour la vie,** Wanderer, Dr Zev
Savoir organiser, savoir décider,
Lefebvre, Gérald
**Savoir relaxer pour combattre le
stress,** Jacobson, Dr Edmund
Se changer, Mahoney, Michael
Se comprendre soi-même par les tests,
Collectif
Se connaître soi-même, Artaud, Gérard
Se créer par la Gestalt, Zinker, Joseph
* **Se guérir de la sottise,** Auger, Lucien
Si seulement je pouvais changer!
Lynes, P.
Tendresse, La, Wolfl, N.
Vaincre ses peurs, Auger, Lucien
Vivre avec sa tête ou avec son cœur,
Auger, Lucien

ROMANS/ESSAIS/DOCUMENTS

* Baie d'Hudson, La, Newman, Peter, C.
* Conquérants des grands espaces, Les,
    Newman, Peter, C.
* Des Canadiens dans l'espace,
    Dotto, Lydia
* Dieu ne joue pas aux dés, Laborit, Henri
* Frères divorcés, Les, Godin, Pierre
* Insolences du Frère Untel, Les,
    Desbiens, Jean-Paul
* J'parle tout seul, Coderre, Émile

Option Québec, Lévesque, René
* Oui, Lévesque, René
* Provigo, Provost, René et
    Chartrand, Maurice
Sur les ailes du temps (Air Canada),
    Smith, Philip
* Telle est ma position, Mulroney, Brian
* Trois semaines dans le hall du Sénat,
    Hébert, Jacques
* Un second souffle, Hébert, Diane

SANTÉ/BEAUTÉ

* Ablation de la vésicule biliaire, L',
    Paquet, Jean-Claude
* Ablation des calculs urinaires, L',
    Paquet, Jean-Claude
* Ablation du sein, L', Paquet, Jean-claude
* Allergies, Les, Delorme, Dr Pierre
Bien vivre sa ménopause,
    Gendron, Dr Lionel
Charme et sex-appeal au masculin,
    Lemelin, Mireille
Chasse-rides, Leprince, C.
* Chirurgie vasculaire, La,
    Paquet, Jean-Claude
Comment devenir et rester mince,
    Mirkin, Dr Gabe
De belles jambes à tout âge,
    Lanctôt, D^r G.
* Dialyse et la greffe du rein, La,
    Paquet, Jean-Claude
Être belle pour la vie, Bronwen, Meredith
Glaucomes et les cataractes, Les,
    Paquet, Jean-Claude
* Grandir en 100 exercices,
    Berthelet, Pierre
* Hernies discales, Les,
    Paquet, Jean-Claude
Hystérectomie, L', Alix, Suzanne
Maigrir: La fin de l'obsession,
    Orbach, Susie
* Malformations cardiaques
    congénitales, Les,
    Paquet, Jean-Claude
Maux de tête et migraines,
    Meloche, Dr J. , Dorion, J.
Perdre son ventre en 30 jours H-F, Bur-
    stein, Nancy et Roy, Matthews

* Pontage coronarien, Le,
    Paquet, Jean-Claude
* Prothèses d'articulation,
    Paquet, Jean-Claude
* Redressements de la colonne,
    Paquet, Jean-Claude
* Remplacements valvulaires, Les,
    Paquet, Jean-Claude
Ronfleurs, réveillez-vous, Piché, D^r J.
    et Delage, J.
Syndrome prémenstruel, Le,
    Shreeve, Dr Caroline
Travailler devant un écran,
    Feeley, Dr Helen
30 jours pour avoir de beaux cheveux,
    Davis, Julie
30 jours pour avoir de beaux ongles,
    Bozic, Patricia
30 jours pour avoir de beaux seins,
    Larkin, Régina
30 jours pour avoir de belles fesses,
    Cox, D. et Davis, Julie
30 jours pour avoir un beau teint,
    Zizmon, Dr Jonathan
30 jours pour cesser de fumer,
    Holland, Gary et Weiss, Herman
30 jours pour mieux s'organiser,
    Holland, Gary
30 jours pour redevenir un couple
    amoureux, Nida, Patricia et
    Cooney, Kevin
30 jours pour un plus grand épanouisse-
    ment sexuel, Schneider, A.
Vos dents, Kandelman, Dr Daniel
Vos yeux, Chartrand, Marie et
    Lepage-Durand, Micheline

SEXUALITÉ

Contacts sexuels sans risques, I.A.S.H.S.
* Guide illustré du plaisir sexuel, Corey, Dr Robert et Helg, E.
Ma sexualité de 0 à 6 ans, Robert, Jocelyne
Ma sexualité de 6 à 9 ans, Robert, Jocelyne
Ma sexualité de 9 à 12 ans, Robert, Jocelyne
Mille et une bonnes raisons pour le convaincre d'enfiler un condom et pourquoi c'est important pour vous..., Bretman, Patti, Knutson, Kim et Reed, Paul

* Nous on en parle, Lamarche, M. et Danheux, P.
Pour jeunes seulement, photoroman d'éducation à la sexualité, Robert, Jocelyne
Sexe au féminin, Le, Kerr, Carmen
Sexualité du jeune adolescent, La, Gendron, Lionel
Shiatsu et sensualité, Rioux, Yuki
* 100 trucs de billard, Morin, Pierre

SPORTS

Apprenez à patiner, Marcotte, Gaston
Arc et la chasse, L', Guardo, Greg
Armes de chasse, Les, Petit-Martinon, Charles
Badminton, Le, Corbeil, Jean
* Canadiens de 1910 à nos jours, Les, Turowetz, Allan et Goyens, C.
Carte et boussole, Kjellstrom, Bjorn
Comment se sortir du trou au golf, Brien, Luc
Comment vivre dans la nature, Rivière, Bill
Corrigez vos défauts au golf, Bergeron, Yves
* Curling, Le, Lukowich, E.
De la hanche aux doigts de pieds, Schneider, Myles J. et Sussman, Mark D.
Devenir gardien de but au hockey, Allaire, François
Golf au féminin, Le, Bergeron, Yves
Grand livre des sports, Le, Groupe Diagram
Guide complet de la pêche à la mouche, Le, Blais, J.-Y.
Guide complet du judo, Le, Arpin, Louis
Guide complet du self-defense, Le, Arpin, Louis
Guide de l'alpinisme, Le, Cappon, Massimo
Guide de la survie de l'armée américaine, Le, Collectif
Guide des jeux scouts, Association des scouts
Guide du trappeur, Le, Provencher, Paul
Initiation à la planche à voile, Wulff, D. et Morch, K.

J'apprends à nager, Lacoursière, Réjean
Je me débrouille à la chasse, Richard, Gilles et Vincent, Serge
Je me débrouille à la pêche, Vincent, Serge
Je me débrouille à vélo, Labrecque, Michel et Boivin, Robert
Je me débrouille dans une embarcation, Choquette, Robert
Jogging, Le, Chevalier, Richard
* Jouez gagnant au golf, Brien, Luc
* Larry Robinson, le jeu défensif, Robinson, Larry
Manuel de pilotage, Transport Canada
Marathon pour tous, Le, Anctil, Pierre
Maxi-performance, Garfield, Charles A. et Bennett, Hal Zina
Mon coup de patin, Wild, John
Musculation pour tous, La, Laferrière, Serge
* Partons en camping, Satterfield, Archie et Bauer, Eddie
Partons sac au dos, Satterfield, Archie et Bauer, Eddie
Passes au hockey, Chapleau, Claude
Pêche à la mouche, La, Marleau, Serge
Pêche à la mouche, Vincent, Serge
Planche à voile, La, Maillefer, Gérard
Programme XBX, Aviation Royale du Canada
Racquetball, Corbeil, Jean
Racquetball plus, Corbeil, Jean
Rivières et lacs canotables, Fédération québécoise du canot-camping
S'améliorer au tennis, Chevalier Richard
Saumon, Le, Dubé, J.-P.

SPORTS

Secrets du baseball, Les,
   Raymond, Claude
Ski de randonnée, Le, Corbeil, Jean
Taxidermie, La, Labrie, Jean
Taxidermie moderne, La, Labrie, Jean
Techniques du billard, Morin, Pierre
Techniques du golf, Brien, Luc
Techniques du hockey en URSS,
   Dyotte, Guy

Techniques du ski alpin, Campbell, S.,
   Lundberg, M.
Techniques du tennis, Ellwanger
Tennis, Le, Roch, Denis
* **Viens jouer,** Villeneuve, Michel José
Vivre en forêt, Provencher, Paul
Volley-ball, Le, Fédération de volley-ball

le jour,
éditeur

ÉSOTÉRISME

Astrologie pratique, L',
  Reinicke, Wolfgang
Grand livre de la cartomancie, Le,
  Von Lentner, G.
Grand livre des horoscopes chinois, Le,
  Lau, Theodora

* Horoscope chinois, Del Sol, Paula
  Lu dans les cartes, Jones, Marthy
  Synastrie, La, Thornton, Penny
  Traité d'astrologie, Hirsig, H.

GUIDES PRATIQUES/JEUX/LOISIRS

* 1,500 prénoms et significations,
  Grisé-Allard, J.

* Backgammon, Lesage, D.

NOTRE TRADITION

* Lettre à un Français qui veut émigrer
  au Québec, Dubuc, Carl

PSYCHOLOGIE/VIE AFFECTIVE ET PROFESSIONNELLE

Adieu, Halpern, Dr Howard
Adieu Tarzan, Franks, Helen
Aimer son prochain comme soi-même,
  Murphy, Dr Joseph
* Anti-stress, L', Eylat, Odette
Apprendre à vivre et à aimer,
  Buscaglia, L.
Art d'engager la conversation et de se
  faire des amis, L', Gabor, Don
Art de convaincre, L', Heinz, Ryborz
* Art d'être égoïste, L', Kirschner, Joseph
Autre femme, L', Sévigny, Hélène
Bains flottants, Les, Hutchison, Michael
Ces hommes qui ne communiquent
  pas, Naifeh S. et White, S.G.
Ces vérités vont changer votre vie,
  Murphy, Dr Joseph
Comment aimer vivre seul,
  Shanon, Lynn
Comment dominer et influencer les
  autres, Gabriel, H.W.
Comment faire l'amour à la même per-
  sonne pour le reste de votre vie!,
  O'Connor, D.
Comment faire l'amour à une femme,
  Morgenstern, M.
Comment faire l'amour à un homme,
  Penney, A.
Comment faire l'amour ensemble,
  Penney, A.

Contacts en or avec votre clientèle,
  Sapin Gold, Carol
Contrôle de soi par la relaxation, Le,
  Marcotte, Claude
Dire oui à l'amour, Buscaglia, Léo
* Famille moderne et son avenir, La,
  Richards, Lyn
Femme de demain, Keeton, K.
Gestalt, La, Polster, Erving
Homme au dessert, Un,
  Friedman, Sonya
Homme nouveau, L',
  Bodymind, Dychtwald Ken
Influence de la couleur, L',
  Wood, Betty
Jeux de nuit, Bruchez, C.
Maigrir sans obsession, Orbach, Susie
Maîtriser son destin, Kirschner, Joseph
Massage en profondeur, Le, Painter, J.,
  Bélair, M.
Mémoire, La, Loftus, Élizabeth
* Mémoire à tout âge, La,
  Dereskey, Ladislaus
Miracle de votre esprit, Le,
  Murphy, Dr Joseph
Négocier entre vaincre et convaincre,
  Warschaw, Dr Tessa
On n'a rien pour rien, Vincent, Raymond
Oracle de votre subconscient, L',
  Murphy, Dr Joseph

PSYCHOLOGIE/VIE AFFECTIVE ET PROFESSIONNELLE

Passion du succès, La, Vincent, R.
Pensée constructive et bon sens, La, Vincent, Raymond
* Personnalité, La, Buscaglia, Léo
Petit répertoire des excuses, Le, Charbonneau, C., Caron, N.
Pourquoi remettre à plus tard?, Burka, Jane B., Yuen, L.M.
Pouvoir de votre cerveau, Le, Brown, Barbara
Puissance de votre subconscient, La, Murphy, Dr Joseph
Réfléchissez et devenez riche, Hill, Napoleon
S'aimer ou le défi des relations humaines, Buscaglia, Léo

Sexualité expliquée aux adolescents, La, Boudreau, Y.
Succès par la pensée constructive, Le, Hill, Napoleon et Stone, W.-C.
Transformez vos faiblesses en force, Bloomfield, Dr Harold
Triomphez de vous-même et des autres, Murphy, Dr Joseph
Univers de mon subconscient, L', Vincent, Raymond
Vaincre la dépression par la volonté et l'action, Marcotte, Claude
Vieillir en beauté, Oberleder, Muriel
Vivre avec les imperfections de l'autre, Janda, Dr Louis H.
Vivre c'est vendre, Chaput, Jean-Marc

ROMANS/ESSAIS

* Affrontement, L', Lamoureux, Henri
* C't'a ton tour Laura Cadieux, Tremblay, Michel
* Cœur de la baleine bleue, Le, Poulin, Jacques
* Coffret petit jour, Martucci, Abbé Jean
* Contes pour buveurs attardés, Tremblay, Michel
* De Z à A, Losique, Serge
* Femmes et politique, Cohen, Yolande

* Il est par là le soleil, Carrier, Roch
* Jean-Paul ou les hasards de la vie, Bellier, Marcel
* Neige et le feu, La, Baillargeon, Pierre
* Objectif camouflé, Porter, Anna
* Oslovik fait la bombe, Oslovik
* Train de Maxwell, Le, Hyde, Christopher
* Vatican -Le trésor de St-Pierre, Malachi, Martin

SANTÉ

Tao de longue vie, Le, Soo, Chee

Vaincre l'insomnie, Filion, Michel et Boisvert, Jean-Marie

SPORT

* Guide des rivières du Québec, Fédération cano-kayac

* Ski nordique de randonnée, Brady, Michael

TÉMOIGNAGES

Merci pour mon cancer, De Villemarie, Michelle

DIVERS

* **Mythe de Nelligan, Le,** Larose, Jean
* **Nouveau Canada à notre mesure,**
  Matte, René
* **Papineau,** De Lamirande, Claire
* **Personne ne voudrait savoir,**
  Schirm, François
* **Philosophe chat, Le,** Savoie, Roger
* **Pour une économie du bon sens,**
  Bailey, Arthur
* **Québec sans le Canada, Le,**
  Harbron, John D.

* **Qui a tué Blanche Garneau?,**
  Bertrand, Réal
* **Réformiste, Le,** Godbout, Jacques
* **Relations du travail,** Centre des
  dirigeants d'entreprise
* **Sauver le monde,** Sanger, Clyde
* **Silences à voix haute,**
  Harel, Jean-Pierre

LIVRES DE POCHES 10 /10

* **37 1/2 AA,** Leblanc, Louise
* **Aaron,** Thériault, Yves
* **Agaguk,** Thériault, Yves
* **Blocs erratiques,** Aquin, Hubert
* **Bousille et les justes,** Gélinas, Gratien
* **Chère voisine,** Brouillet, Chrystine
* **Cul-de-sac,** Thériault, Yves
* **Demi-civilisés, Les,** Harvey, Jean-Charles
* **Dernier havre, Le,** Thériault, Yves
* **Double suspect, Le,** Monette, Madeleine

* **Faire sa mort comme faire l'amour,**
  Turgeon, Pierre
* **Fille laide, La,** Thériault, Yves
* **Fuites et poursuites,** Collectif
* **Première personne, La,** Turgeon, Pierre
* **Scouine, La,** Laberge, Albert
* **Simple soldat, Un,** Dubé, Marcel
* **Souffle de l'Harmattan, Le,**
  Trudel, Sylvain
* **Tayaout,** Thériault, Yves

LIVRES JEUNESSE

* **Marcus, fils de la louve,** Guay, Michel et
  Bernier, Jean

MÉMOIRES D'HOMME

* **À diable-vent,** Gauthier Chassé, Hélène
* **Barbes-bleues, Les,** Bergeron, Bertrand
* **C'était la plus jolie des filles,**
  Deschênes, Donald
* **Bête à sept têtes et autres contes de
  la Mauricie, La,** Legaré, Clément
* **Contes de bûcherons,**
  Dupont, Jean-Claude
* **Corbeau du Mont-de-la-Jeunesse, Le,**
  Desjardins, Philémon et
  Lamontagne, Gilles

* **Guide raisonné des jurons,**
  Pichette, Jean
* **Menteries drôles et merveilleuses,**
  Laforte, Conrad
* **Oiseau de la vérité, L',** Aucoin, Gérard
* **Pierre La Fève et autres contes de la
  Mauricie,** Legaré, Clément

ROMANS/THÉÂTRE